LA PARADE
DES MONSTRES

LA PARADE DES MONSTRES

Darren Shan

Tome 1

Traduit de l'anglais par Jean-Baptiste Médina

Titre original :
Cirque du Freak

Publié pour la première fois en 2000 en Grande-Bretagne
par Collins, HarperCollins Publishers Ltd, Londres.

**Retrouvez Madame Octa... et Darren Shan
sur le site officiel de Darren Shan :
www.darrenshan.com**

Remerciements

Cet ouvrage n'aurait pas été publié sans le précieux concours des personnes suivantes, auxquelles j'exprime ma gratitude :

Biddy et Liam ; Domenica de Rosa ; Gillie Russell ; Emma Schlesinger et Christopher Little.

J'adresse également mes remerciements à l'équipe éditoriale d'HarperCollins, ainsi qu'aux élèves d'Askeaton Primary School, mes premiers lecteurs, qui m'ont aidé à rendre le livre aussi noir et inquiétant que possible.

Introduction

J'ai toujours été fasciné par les araignées. Quand j'étais plus jeune, je passais des heures dans notre vieille cabane à outils, au fond du jardin, à surveiller les recoins poussiéreux où elles tissaient leur toile. Et lorsque j'en repérais une en train de guetter sa proie, je la capturais pour la relâcher dans ma chambre. Ça rendait Maman complètement folle !

L'araignée disparaissait en général au bout d'un jour ou deux, et on ne la revoyait jamais ; mais, parfois, elle restait plus longtemps. L'une d'elles installa sa toile juste au-dessus de mon lit et y monta la garde pendant près d'un mois. Avant de m'endormir, je l'imaginais qui descendait vers moi au bout de son fil. Elle pénétrait dans ma bouche, se faufilait au fond de ma gorge et allait pondre des tas d'œufs dans mon ventre. Les bébés araignées en émergeaient en grouillant et me dévoraient tout cru de l'intérieur.

J'adorais me faire peur, quand j'étais petit. Pour mes neuf ans, mon père et ma mère m'offrirent une tarentule. Elle n'était ni très venimeuse ni très grosse, mais ce fut à mes yeux le plus beau des cadeaux. Je jouais avec cette araignée à longueur de journée. Je lui donnais toutes sortes de friandises à manger : mouches, cafards et vers minuscules. Vraiment gâtée, la bestiole. Et puis je fis quelque chose de stupide. J'avais vu, dans un dessin animé, une scène où le personnage était avalé par un aspirateur. Il n'en souffrait pas. Il se contentait de s'extirper de l'appareil, furieux et couvert de poussière. C'était très drôle.

Si drôle que je voulus essayer avec ma tarentule. Inutile de dire que les choses ne se passèrent pas comme dans le dessin animé. L'araignée fut mise en pièces. Je pleurai à chaudes larmes, en vain. Ma compagne de jeu était morte par ma faute.

Mes parents poussèrent des cris en découvrant ce que j'avais fait. Ils me traitèrent d'idiot et d'inconscient (la tarentule coûtait cher), et après ça, je n'eus plus le droit d'avoir un petit animal favori, pas même une vulgaire araignée de jardin.

J'évoque ce souvenir d'araignée pour une raison qui deviendra évidente au cours de mon récit. Je tiens aussi à préciser ceci : ce que je vais vous raconter est une histoire vraie. Vous n'y croirez sans doute pas – je n'y croirais peut-être pas non plus, à votre place. Pourtant, tout est arrivé exactement comme je l'écris.

Dans la vie réelle, quand on fait quelque chose de stupide, on paie en général les pots cassés. Dans les livres, les héros peuvent commettre des tas d'erreurs ;

ça n'a pas d'importance, parce que tout s'arrangera, au bout du compte. Ils finiront par vaincre les méchants, remettront les choses en ordre, et tout ira bien dans le meilleur des mondes.

Dans la vie réelle, les aspirateurs tuent les araignées. Si on traverse une route sans y regarder à deux fois, on se fait écraser par une voiture. Si on tombe d'un arbre, on se brise les os. La vie réelle est méchante. Elle est cruelle. Elle se moque des héros et des fins heureuses.

Dans la vie réelle, des drames se produisent. Des gens meurent. Des batailles se perdent. Le mal triomphe souvent.

Il fallait que je souligne ça avant de commencer.

Un dernier détail : je ne m'appelle pas vraiment Darren Shan. Tout est authentique dans ce livre, sauf les noms. J'ai dû les changer, parce que... oh, en arrivant à la fin, vous comprendrez. Je n'ai pas utilisé un seul vrai nom ; ni le mien, ni celui de ma sœur, ni ceux de mes amis ou de mes professeurs. Personne. Je ne vous révèle même pas le nom de ma ville. Je n'ose pas.

Si j'avais inventé cette histoire, je situerais le début par une nuit d'orage, avec des ululements de chouette et des bruits bizarres sous le lit. Mais comme c'est une histoire vraie, je dois commencer là où tout a réellement commencé. Un beau matin, dans des toilettes.

1

J'étais assis dans les toilettes, à l'école, en train de chantonner un petit air. Je n'avais pas baissé mon pantalon. J'étais venu là-dedans vers la fin du cours de littérature, ne me sentant pas très bien. Mon prof, M. Dalton, est super dans ce genre de situation; assez futé pour deviner si vous êtes sérieux ou si vous faites semblant. Quand j'avais levé la main et dit que j'étais malade, il lui avait suffi d'un regard pour hocher la tête et m'expédier aux toilettes.

– Va donc dégobiller ce que tu as sur le cœur, Darren, et ramène tes fesses en vitesse.

Je voudrais bien que tous les profs soient aussi compréhensifs que M. Dalton. Je ne vomis pas, finalement, mais préférai attendre dans les toilettes que mon malaise passe. J'entendis la cloche sonner la fin du cours, et les élèves se ruer dehors pour la longue pause du déjeuner. J'étais donc là, fredonnant et regardant ma montre, quand j'entendis quelqu'un appeler mon nom.

– Darren! Hé, Darren! Tu es tombé dans le trou, ou quoi?

Je souris. C'était mon copain Steve Léonard, un garçon que les gens jugeaient « turbulent ». Il semait la pagaille partout où il allait, se battait, volait dans les magasins... Beaucoup d'élèves le redoutaient, mais pas moi. Nous étions amis depuis la maternelle. D'après Maman, Steve m'attirait par son côté sauvage; moi, je pensais seulement que j'aimais sa compagnie, et ne me posais pas de questions. Il avait un tempérament ombrageux et entrait dans de violentes colères. Quand ça se produisait, je me sauvais – et je revenais vers lui une fois qu'il s'était calmé.

La maman de Steve l'emmenait consulter des tas de psychologues qui lui apprenaient plus ou moins à se contrôler, mais il restait toujours une espèce de légende à l'école, et personne n'osait le provoquer, même les élèves plus grands et plus costauds que lui.

– Steve! Par ici! criai-je.

Et je donnai un coup de poing dans la porte pour lui indiquer l'endroit où je me trouvais. Il ouvrit la porte et haussa les sourcils en me voyant assis sur le siège des toilettes tout habillé.

– Tu as dégueulé? s'enquit-il.

– Non.

– Tu crois que tu vas le faire?

– Peut-être.

Je me penchai soudain en avant et j'imitai un vomissement. *Bluurgh.* Mais Steve me connaissait trop bien pour se laisser avoir. Il se contenta de rire.

– J'ai manqué quelque chose, en classe ? demandai-je en me redressant.

– Non. Le baratin habituel... Alors, tu te décides à sortir de là ?

– Je pensais rester encore un peu pour admirer la vue, dis-je en me renversant sur le siège des toilettes.

– Arrête ton cirque, Shan. On avait déjà encaissé un but quand je suis parti à ta recherche. On en a probablement perdu un deuxième à l'heure qu'il est. Nous avons besoin de toi !

Il parlait de foot. On joue une partie de foot à chaque pause déjeuner. C'est en général mon équipe qui gagne, mais depuis peu, nos meilleurs joueurs manquaient à l'appel. Dave Morgan s'était cassé la jambe. Sam White déménage. Et Danny Curtain ne jouait plus au football pour pouvoir passer plus de temps à tourner autour de Sheila Leigh, l'élue de son cœur. Quel taré ! Je suis un attaquant hors pair. L'équipe adverse a de bons défenseurs, et Tommy Jones est le meilleur goal de l'école. Mais je peux me démener comme un diable et marquer trois buts d'affilée. Je me relevai.

– Okay. Je vais vous sauver la mise, une fois de plus !

Mon équipe perdait deux à zéro à mon arrivée sur le terrain. Ce n'est pas un vrai terrain de foot, juste un grand champ rectangulaire avec des buts tracés à la peinture de part et d'autre.

– Fini de rire, les gars, Shan la menace est là ! criai-je.

Certains joueurs ricanèrent, mais mes coéquipiers retrouvèrent visiblement le moral et nos adversaires eurent soudain l'air inquiet. Je fis un début grandiose en marquant tout de suite un but. Tout portait à croire que nous allions reprendre le dessus, mais hélas, la cloche sonna avant que je n'aie eu le temps d'égaliser.

Comme nous quittions le terrain, Alan Morris vint vers nous en courant, les joues rouges, hors d'haleine. (Steve Léonard, Tommy Jones et Alan Morris sont mes trois meilleurs amis.)

– Regardez ce que j'ai trouvé ! criait Alan en nous agitant un papier froissé sous le nez. C'est...

Il fut interrompu par un rugissement de M. Dalton.

– Vous quatre ! En classe, tout de suite !

– On arrive, monsieur Dalton ! rugit Steve en retour.

La trouvaille d'Alan attendrait. Nous entrâmes dans la salle de classe d'un pas traînant, en sueur, exténués par le match, et la leçon commença. J'étais loin de me douter que le mystérieux morceau de papier d'Alan allait bouleverser ma vie à jamais !

2

On avait encore M. Dalton après le déjeuner, en histoire. Au programme : la Seconde Guerre mondiale. Ça ne m'intéressait pas des masses, mais Steve trouvait ça chouette. Il adore tout ce qui se rapporte aux combats, aux massacres. Il répète souvent qu'il voudrait être mercenaire plus tard – ces types qui se battent pour de l'argent. Et il parle sérieusement !

Après histoire, on avait math, et – incroyable mais vrai – M. Dalton pour la troisième fois ! Notre prof habituel était malade depuis quinze jours, et d'autres le remplaçaient tour à tour du mieux qu'ils pouvaient.

Steve semblait au septième ciel. Son prof préféré trois cours de suite ! C'était la première fois que M. Dalton nous donnait un cours de math, et Steve fit le malin en lui résumant notre dernière leçon comme s'il parlait à un enfant.

En temps normal, M. Dalton dirige sa classe de main de maître, c'est le cas de le dire. Toutefois, les maths n'étaient visiblement pas son fort. On le sentait dépassé, et tandis qu'il essayait d'y voir clair, les élèves commencèrent à s'agiter et à chuchoter.

J'envoyai une note à Alan, demandant à voir le mystérieux papier qu'il avait trouvé. Il refusait de le faire circuler, mais comme je le bombardais de messages, il finit par céder. Tommy, assis plus près de lui, l'eut en premier et il le déplia. Son visage s'éclaira pendant qu'il l'examinait. Quand il me le passa enfin, je compris pourquoi.

C'était un prospectus pour une sorte de cirque ambulant. Il montrait en médaillon la photo d'un loup aux crocs dégoulinants de bave, ainsi que celle d'un serpent et d'une grosse araignée qui avaient l'air tout aussi mauvais.

Dessous, en grosses capitales, on pouvait lire :

LE CIRQUE DES HORREURS

Et sous ces mots, en lettres plus petites :

DE PASSAGE DANS VOTRE VILLE
POUR UNE SEMAINE SEULEMENT :
LA PARADE DES MONSTRES !
VENEZ VOIR :
LE GARÇON-SERPENT ! L'HOMME-LOUP !
LA FEMME AUX DENTS D'ACIER !
LARTEN KRAPULA ET SON ARAIGNÉE SAVANTE,
MADAME OCTA !
L'HOMME ÉLASTIQUE, LA FEMME À BARBE !
L'HOMME LE PLUS GROS DU MONDE !
ET BIEN D'AUTRES ATTRACTIONS...

L'adresse où l'on pouvait acheter les billets du spectacle, et le nom du théâtre où il se déroulait, étaient indiqués tout en bas de l'affiche. Avec juste au-dessus, cet avertissement en caractères gras :

ATTENTION :
ÂMES SENSIBLES S'ABSTENIR !

– Le Cirque des Horreurs ? murmurai-je douce-ment. Une parade de monstres ! Cela semblait pro-metteur.

À vrai dire, j'étais tellement subjugué que j'en oubliai M. Dalton. Je ne me souvins de lui qu'en me rendant compte du silence dans la pièce, tout à coup. Levant les yeux, je vis que Steve était seul près du bureau de notre prof. Il me fit une petite grimace. Je sentis mes cheveux se hérisser sur ma nuque, regardai par-dessus mon épaule – et découvris M. Dalton juste derrière moi. Il lisait le prospectus, les lèvres serrées.

– C'est quoi, ce machin ? demanda-t-il en m'arra-chant le papier des mains.

– Une publicité, m'sieu.

– Où l'as-tu trouvée ?

Il avait l'air en colère. Je m'humectai nerveuse-ment les lèvres, cherchant la bonne réponse. Je ne voulais pas attirer des ennuis à Alan – et je savais qu'il ne se dénoncerait pas lui-même, car il n'est pas très courageux. Mais j'étais à court d'inspiration, aucun mensonge approprié ne me venait à l'esprit. Par bonheur, Steve intervint :

– Elle est à moi, m'sieu ! dit-il.

M. Dalton cligna des yeux.

— À toi?

— Oui. Je l'ai trouvée près de l'arrêt du bus. J'avais l'intention de vous la montrer après le cours et de vous poser des questions à son sujet.

M. Dalton essaya de ne pas paraître flatté, mais on voyait qu'il l'était.

— Une saine curiosité ne fait jamais de mal. Va t'asseoir, Steve.

Steve regagna sa place. M. Dalton accrocha le prospectus au tableau noir à l'aide d'un morceau de scotch, afin que tout le monde puisse le voir. Il montra de l'index les mots « parade des monstres ».

— Dans le temps, commença-t-il, les parades de ce genre existaient vraiment. Des escrocs cupides entassaient des personnes contrefaites dans des cages et...

— Qu'appelez-vous une personne *contrefaite*, m'sieu? interrogea quelqu'un.

— Un malheureux qui souffre d'une anomalie physique. Un individu difforme, mal proportionné. Quelqu'un qui aurait trois bras ou deux nez; un cul-de-jatte; un être très petit, ou très grand... Bref, on exhibait ces pauvres gens qu'on appelait des monstres. Le public payait pour les regarder, on l'encourageait à se moquer d'eux. Ces pseudo-monstres étaient traités comme des animaux. On les nourrissait de déchets, on les battait, on les habillait de haillons, on ne leur permettait pas de se laver...

— Mais c'était cruel, m'sieu! protesta Delaina Price, une fille du premier rang.

— Bien sûr. Ces parades étaient des inventions cruelles et dégradantes. Voilà pourquoi je me suis mis en colère en voyant ça.

Il arracha le prospectus du tableau.

– Ces spectacles sont interdits depuis bien des années, mais de temps à autre, l'un d'eux refait surface.

– Vous pensez que le Cirque des Horreurs organise une parade de vrais monstres ? demandai-je.

M. Dalton étudia de nouveau le prospectus, posé sur son bureau, et secoua la tête.

– J'en doute, répondit-il. Il s'agit probablement d'une farce de mauvais goût... Toutefois, si c'est vrai, j'espère qu'aucun de vous n'a l'intention d'y aller.

Toute la classe s'écria :

– Oh, non, m'sieu !

– Parce que ceux qui assistent à ces tristes spectacles ne sont pas moins coupables que leurs organisateurs !

– Il faudrait avoir l'esprit dérangé pour aller voir ça, m'sieu ! opina Steve.

Puis, à l'insu de M. Dalton, il m'adressa un clin d'œil et articula en silence : « ON-Y-VA ! »

3

Steve récupéra le prospectus. Après l'école, notre bande des quatre – moi, Steve, Alan Morris et Tommy Jones – se réunit sur le trottoir.

– Ton prospectus doit être bidon, dis-je à Alan.

– Pourquoi ?

– Tu as entendu M. Dalton ? Ils ne font plus de parades de monstres. Les hommes-loups et les garçons-serpents sont interdits depuis des années.

– Il n'est pas bidon ! protesta Alan.

– Où l'as-tu déniché ? voulut savoir Tommy.

– Je l'ai piqué à mon grand frère, expliqua Alan à voix basse.

– Et où est-ce que Tony a eu cette affichette ? demanda Steve.

– Un certain M. Krapula les distribuait dans une rue. Il lui a expliqué qu'il s'agissait d'un cirque ambulant qui donne des représentations en grand secret à travers le monde. D'après lui, le prospectus

20

est indispensable pour se procurer les billets qu'on ne vend qu'à des gens triés sur le volet.

– Combien coûtent les billets ? interrogea Steve.

– Quinze livres par personne.

On se récria tous en même temps :

– Quinze livres !

C'était cher, mais ça valait le coup.

– Personne ne paierait quinze livres pour aller voir une poignée de tordus ! ricana Steve avec mépris.

– Moi si, affirmai-je.

– Moi aussi, renchérit Tommy

– Et moi, ajouta Alan.

– Peut-être, concéda Steve, mais nous n'avons pas quinze livres à jeter par les fenêtres ! Alors, à quoi bon discuter ?

– J'aurais bien aimé y aller, pourtant, soupira Tommy. Ça a l'air génial.

– M. Dalton était contre, observa Alan.

– Justement ! Si le père Dalton n'aime pas ce genre de spectacle, ça doit être super. En général, tout ce que les adultes interdisent est plutôt excitant.

J'intervins :

– Vous êtes sûrs qu'on ne pourrait pas se payer ça ? Ils font peut-être des réductions aux enfants. Combien d'argent avez-vous ?

À nous quatre, on avait trente-quatre livres.

– Et nous touchons notre argent de poche hebdomadaire demain, déclara Steve. Si on met tout ensemble...

– Les billets sont presque tous vendus, le type qui a donné le prospectus à Tony lui a dit qu'il ne restait pratiquement plus de places pour vendredi et samedi, interrompit Alan. La première représentation a eu lieu hier, mercredi. Si nous y allons, il faut que ce soit demain vendredi, ou samedi, parce que, avec l'école, nos parents ne nous laisseront pas y assister un autre soir de la semaine ; et nous devons acheter nos billets ce soir même.

— Alors, c'est fichu, fis-je avec une grimace.

— Peut-être pas, rectifia Steve. Ma mère garde l'argent des courses dans un pot, à la cuisine. Je pourrais en emprunter un peu, et le remettre en place dès que nous aurons touché notre argent de poche.

— Tu veux dire que tu le volerais ? m'étonnai-je.

— Je veux dire que je l'*emprunterais* ! Ce serait du vol si je ne le rendais pas. Qu'est-ce que vous en pensez ?

— Comment ira-t-on acheter les billets ce soir ? s'inquiéta Tommy. C'est un soir de semaine. Nos parents ne nous laisseront pas sortir.

— Moi, je peux me débrouiller pour y aller, rétorqua Steve.

Nous nous regardâmes tous, puis, un par un, nous hochâmes la tête en silence.

— Okay, conclut Steve. On se dépêche de rentrer à la maison, on prend notre fric, et on se retrouve ici, devant l'école. On mettra tout notre argent en commun, et j'y ajouterai celui que j'ai pris dans le pot de ma mère.

— Et si tu ne peux pas vol... heu, emprunter cet argent ? demandai-je.

Il haussa les épaules.

– Alors, notre projet tombe à l'eau. Mais qui ne tente rien n'a rien. Allez, dépêchons-nous !

Là-dessus, il s'éloigna au pas de course. Un moment après, Tommy, Alan et moi partîmes en courant également, chacun de son côté.

4

Ce soir-là, je ne pus penser qu'à la parade des monstres, même en regardant mon émission préférée à la télé. Impossible de la chasser de mon esprit. Ça me semblait si bizarre : un garçon-serpent, un homme-loup, une araignée savante ! L'araignée m'intriguait particulièrement.

Maman et Papa ne remarquèrent rien, mais Annie se douta de quelque chose. Annie est ma petite sœur. Il lui arrive parfois de me casser les pieds, mais en général, elle est plutôt cool. Elle sait garder un secret, et elle ne cafte jamais aux parents.

– Qu'est-ce que tu as ? me demanda-t-elle après le dîner.

On était seuls dans la cuisine, et on faisait la vaisselle.

– Rien, répondis-je.

– Oh si. Tu as été bizarre toute la soirée.

Je savais qu'elle continuerait de m'asticoter jusqu'à ce que j'avoue tout. Je lui parlai donc de la parade des monstres.

– Ça a l'air chouette, approuva-t-elle. Mais tu ne pourras jamais y aller.

– Pourquoi ?

– Parce que je parie qu'ils n'acceptent pas les enfants.

– Moi et mes copains, on entrera, je te le garantis, marmonnai-je.

On se dépêcha de finir la vaisselle et de retourner devant la télé. Quelques minutes plus tard, Papa arriva à la maison. Il surveille des chantiers de construction dans toute la région, et il rentre souvent tard. Son travail le rend parfois grognon, mais là, il était de bonne humeur. Il souleva Annie dans ses bras et la jeta en l'air. Puis il la redéposa à terre et alla embrasser Maman.

– Il s'est passé quelque chose d'excitant, aujourd'hui ? demanda-t-il à la cantonade.

– J'ai marqué un beau but au foot, dis-je.

– Bravo, fiston.

On baissa la télé pendant qu'il mangeait. Il aime bien dîner tranquillement tout en bavardant avec nous. Ensuite, il profita de ce qu'il faisait encore jour pour aller désherber le jardin, tandis que Maman s'installait dans la bibliothèque afin de ranger sa collection de timbres. Elle s'en occupe très sérieusement.

J'entrai la regarder une minute, et je ne pus m'empêcher de la questionner.

– Maman, as-tu déjà vu une parade de monstres ?

– Une quoi ? demanda-t-elle, concentrée sur ses timbres.

– Une exhibition de monstres. Avec des femmes à barbe, des hommes-loups et des garçons-serpents.

Elle leva la tête et cligna des yeux.

– Des garçons-serpents ? Où vas-tu chercher des trucs pareils ? C'est quoi, un garçon-serpent ?

– C'est un...

Je m'interrompis en découvrant que je n'en savais rien.

– Oh, peu importe, Maman. Est-ce que tu en as déjà vu, des parades comme ça ?

– Non, dit-elle. Elles sont illégales, il me semble.

– Si elles ne l'étaient pas, et s'il en venait une en ville, tu irais la voir ?

– Non, répéta-t-elle en frissonnant. Ce genre de chose me fait peur. Tu aimerais ça, toi, qu'on te mette dans une cage pour que les gens te regardent ?

– Je ne suis pas un monstre ! rétorquai-je.

– Je sais ! gloussa-t-elle. Tu es mon petit ange !

Et elle m'embrassa sur le front.

– Arrête, Maman ! protestai-je en m'essuyant du revers de la main.

– Idiot ! fit-elle en souriant. Qu'est-ce que c'est que cette histoire de monstres ? Tu as regardé un film d'horreur, hier ? Tu t'es couché tard ?

– Non Maman.

Juste à ce moment, Papa rentra du jardin.

– C'est donc là que tu te cachais ? dit-il.

– J'allais venir, Papa.

– Trop tard.

Je le regardai ôter ses gants de jardin et enfiler ses chaussons. Quand j'étais petit, il me juchait sur ses deux pieds et me promenait à pas de géant dans toute la maison. J'adorais ça.

– Qu'est-ce que tu vas faire, maintenant? demandai-je.

– Écrire, fiston.

Mon père a des correspondants dans le monde entier, en Amérique, en Australie, en Russie, en Chine. Il dit qu'il aime bien garder le contact avec ses frères humains! C'est son dada.

Annie jouait à la poupée dans le salon. Elle avait l'air si absorbée que je me gardai de la déranger. Je montai dans ma chambre et étalai mes bandes dessinées sur le lit. J'ai des tas d'albums de bandes dessinées, *Superman, Batman, Spiderman* et *Spawn*. *Spawn* est mon personnage préféré. C'est un ancien démon devenu super-héros. Certains numéros de *Spawn* sont vraiment effrayants, mais c'est pour ça qu'ils me plaisent.

Je passai le reste de la soirée à relire mes albums. Il était près de onze heures quand je me couchai. Je me sentais très fatigué, et je savais que j'allais m'endormir en deux secondes. La dernière chose à laquelle je pensai fut le Cirque des Horreurs. À quoi pouvaient ressembler le garçon-serpent, la femme aux dents d'acier... Et bien sûr, je rêvai de l'araignée.

5

Le lendemain matin, j'attendis Steve avec Tommy et Alan devant les grilles de l'école ; mais il n'y avait toujours aucun signe de lui quand la cloche sonna, et nous fûmes obligés d'aller en classe.

– Je parie qu'il nous évite, déclara Tommy. Il n'a pas pu avoir les billets, et il n'ose pas nous le dire.

– Steve n'est pas comme ça, protestai-je.

En classe, j'avais l'esprit ailleurs. On avait géographie en premier, et chaque fois que Mme Quinn me posait une question, je répondais de travers. Normalement, la géographie est une de mes matières préférées.

– Tu t'es couché tard, Darren ? me demanda-t-elle.

– Non, madame Quinn, mentis-je.

– Moi, je crois que oui. Tu as les yeux tellement cernés que tu ressembles à un panda.

Tout le monde se mit à rire – Mme Quinn ne plaisante pas souvent – et j'en fis autant sans même me vexer.

Le cours traînait en longueur. Je rêvai toute la matinée à la parade des monstres. J'imaginais que j'étais un des monstres, et le patron du cirque un sale type qui fouettait tout le monde, même ceux qui n'avaient rien fait de mal. On le haïssait, mais il était si costaud et si féroce que nul n'osait se rebeller. Jusqu'au jour où il me fouettait une fois de trop ; alors, je me changeais soudain en loup et je lui arrachai la tête d'un coup de dents ! Les autres m'applaudissaient, et je devenais à mon tour le patron... C'était un rêve plutôt agréable.

Quelques minutes avant la récréation, la porte s'ouvrit, et devinez qui arriva ? Steve ! Sa mère était derrière lui, et elle s'entretint à voix basse avec Mme Quinn, qui hocha la tête en souriant. Puis Mme Léonard repartit, et Steve vint s'asseoir à sa place habituelle.

– Où étais-tu passé ? lui soufflai-je, furieux.

– Chez le dentiste, répondit-il. J'ai oublié de vous prévenir.

– Et qu'est-ce que...

– Ça suffit, Darren ! fit Mme Quinn.

Je me tus immédiatement.

À la récré, Tommy, Alan et moi nous jetâmes sur Steve.

– Tu as les billets ? criai-je.

– Tu étais vraiment chez le dentiste ? voulut savoir Tommy.

– Où est mon prospectus ? s'enquit Alan.

Il nous repoussa en riant.

– Patience, les gars, patience ! Chaque chose en son temps.

– Allez, Steve, raconte, insistai-je. Tu les as, oui ou non ?

– Oui et non. J'ai de bonnes nouvelles, de mauvaises nouvelles, et quelques nouvelles insensées, dit-il. Lesquelles voulez-vous apprendre en premier ?

– Des nouvelles *insensées* ! m'étonnai-je.

Steve nous entraîna dans un coin de la cour, s'assura que personne alentour ne nous écoutait, et poursuivit dans un murmure :

– J'ai pris l'argent, et je me suis glissé dehors à sept heures, pendant que Maman était au téléphone. J'ai traversé la ville et je me suis précipité vers la cabane en bois où on vendait les billets... et savez-vous qui était là quand je suis arrivé ?

– Qui ? braillâmes-nous en chœur.

– M. Dalton ! Avec deux agents de police. Tous trois s'efforçaient d'extirper un petit bonhomme de la guérite. Soudain, il y eut une explosion, bang ! et un gros nuage de fumée les a tous enveloppés. Quand le nuage s'est dissipé, le petit homme avait disparu.

– Qu'ont fait M. Dalton et la police ? demanda Alan.

– Ils ont examiné l'intérieur de la guérite, ont tourné autour d'un air perplexe, et ils sont repartis.

– Ils ne t'ont pas vu ? demanda Tommy à son tour.

– Non. Je m'étais bien caché.

– Donc, tu n'as pas eu les billets, conclus-je tristement.

– Je n'ai pas dit ça ! rétorqua-t-il. En rebroussant chemin, j'ai tout à coup retrouvé le petit homme derrière moi. Il a demandé à voir le prospectus que je tenais à la main. Puis il m'a tendu les billets et je lui ai remis l'argent...

On s'exclama de nouveau tous ensemble :

– Tu les as !

– Oui, fit-il, ravi.

Soudain son visage s'assombrit.

– Pourtant il y a un problème. Je vous ai dit que j'avais aussi de mauvaises nouvelles. Alors voilà : il m'a vendu seulement deux billets. J'avais assez d'argent pour quatre, mais il a refusé de tout prendre. Le Cirque des Horreurs n'accorde que deux billets par prospectus. J'ai offert de payer plus cher – j'avais à peu près soixante-dix livres en tout – mais il n'a rien voulu savoir.

– Il ne t'a vendu que deux billets ? répéta Tommy, décontenancé.

– Mais ça veut dire... commença Alan.

– ... que deux d'entre nous seulement peuvent y aller, acheva Steve, l'air gêné. Désolé, les gars...

6

C'était vendredi soir, le début du week-end, et tous les élèves rentraient à la maison en courant et en riant, heureux d'être enfin libres. Tous, sauf une bande de quatre garçons qui s'attardaient devant l'école, l'air accablé, comme si la fin du monde était imminente. Leurs noms ? Steve Léonard, Tommy Jones, Alan Morris et moi, Darren Shan.

– C'est injuste de limiter la vente des billets ! gémit Alan. Quelle stupidité !

On était tous d'accord là-dessus, mais on ne pouvait rien y faire. Finalement, Alan posa la question que tout le monde avait en tête.

– Alors, qui va y aller ?

Nous nous regardâmes, indécis.

– Eh bien, Steve doit obligatoirement garder un billet, dis-je. Il a mis plus d'argent que nous dans la cagnotte, et il les a achetés. Donc, il l'a bien gagné, ce billet, pas vrai ?

– Ouais, opina Alan.

Je pense qu'il aurait aimé discuter, mais il savait qu'il perdrait la partie. Steve brandit un des billets en souriant et demanda :

– Et qui m'accompagnera ?

– Heu... c'est moi qui ai fourni le prospectus, hasarda Alan.

– Que dalle ! dis-je. C'est à Steve de choisir !

– Sûrement pas ! se moqua Tommy. Tu es son meilleur ami. Non, non on va tirer au sort.

– Je sais comment on va faire, dit Steve en ouvrant son cartable.

Il arracha deux pages blanches d'un cahier de brouillon, et, à l'aide de sa règle, les découpa soigneusement en morceaux rectangulaires de la dimension du billet de cirque. Puis il ôta sa casquette de base-ball et mit les papiers dedans.

– Voilà comment ça marche, annonça-t-il en nous montrant le deuxième billet. J'ai mis ce billet au milieu des papiers, je remue bien le tout comme vous le voyez. D'accord ?

Nous hochâmes la tête.

– Vous vous tenez côte à côte et je jette les papiers au-dessus de vos têtes. Celui qui attrape le billet le gagne. Moi et le vainqueur, nous rembourserons leur argent aux deux autres dès que nous le pourrons. Ça vous va ?

– D'accord, dis-je.

– C'est bon, marmonna Alan.

Tommy acquiesça d'un signe.

Steve mélangea les bouts de papier et le billet dans sa casquette.

– Tenez-vous prêts ! ordonna-t-il.

Nous nous alignâmes. Tommy et Alan se tenaient l'un contre l'autre, je m'étais mis un peu à l'écart pour avoir une plus grande liberté de mouvement.

– Okay, reprit Steve. À trois, je balance tout en l'air. Prêts ?

Nous hochâmes la tête.

– Un !

Je vis Alan essuyer son front en sueur.

– Deux !

Les doigts de Tommy s'agitèrent.

– Trois ! hurla Steve, qui jeta le contenu de la casquette au-dessus de nos têtes.

La brise souleva les papiers dans les airs. Tommy et Alan en attrapèrent çà et là en poussant des cris. Il était impossible de repérer le billet au premier coup d'œil.

J'eus soudain comme une impulsion étrange. Ça semblait idiot, mais j'ai toujours pensé qu'il fallait suivre ses impulsions. Je fermai donc les yeux et tendis les mains en avant, paumes ouvertes, tel un aveugle, convaincu que quelque chose d'inespéré allait se produire.

Je sentis un instant des papiers m'effleurer, légers comme des papillons. Puis une voix en moi souffla *maintenant !*

Je refermai mes mains très vite.

Quand je rouvris les yeux, Alan et Tommy cherchaient le billet à genoux, parmi les papiers qui avaient dérivé jusqu'au sol.

– Il n'est pas là ! marmonnait Tommy.

– Je ne le trouve pas ! geignait Alan.

Ils s'arrêtèrent de chercher pour m'observer. Je n'avais pas bougé. J'étais immobile, les poings serrés.

– Qu'est-ce que tu as dans la main, Darren ? me demanda Steve d'une voix douce.

– Il ne l'a pas, dit Tommy. C'est impossible. Il a fermé les yeux.

– Allez, s'écria Alan en me donnant une bourrade, montre-nous ce que tu caches !

Je regardai mon poing gauche. Mon estomac se noua. J'ouvris lentement la main.

Il y avait au creux de ma paume un rectangle de papier vert. Je le retournai, juste pour être sûr, et là, le nom magique se mit à danser sous mes yeux : « CIRQUE DES HORREURS ».

Je l'avais. Le billet était à moi. J'allais voir la parade des monstres avec Steve. « OUOUOUIIIII ! » criai-je, et je brandis triomphalement le poing en l'air. J'avais gagné !

7

Les billets étaient pour la représentation du samedi.
Mon plan était tout simple : je demandai à mes
parents la permission d'aller passer la nuit chez Steve
ce soir-là. Ils me l'accordèrent sans se faire prier.

Je ne leur parlai pas de la parade des monstres. Je
me sentais vaguement mauvaise conscience, bien sûr,
mais en même temps, j'étais très excité.

Le samedi s'étira en longueur. Je n'arrêtais pas de
penser au Cirque des Horreurs, et de souhaiter que
vînt enfin le moment d'y aller. J'étais plutôt grognon,
humeur inhabituelle de ma part un samedi, et Maman
fut heureuse de se débarrasser de moi quand il fut
l'heure de me rendre chez Steve.

Papa me conduisit en voiture chez Steve et m'y
déposa à six heures. Il reviendrait me chercher à midi
le lendemain.

– Évite les films d'épouvante, d'accord ? me

recommanda-t-il avant de redémarrer. Je ne veux pas que tu fasses des cauchemars cette nuit.

– D'accord, promis-je.

– À la bonne heure, dit Papa.

Il redémarra.

Je gravis les marches du perron à toute allure et sonnai quatre fois – ce qui est mon signal secret pour informer Steve de ma présence. Il devait être juste derrière la porte, parce qu'il ouvrit tout de suite et m'entraîna à l'intérieur en grommelant :

– Pas trop tôt.

Puis il m'emmena jusqu'à sa chambre.

Nous jouâmes à la guerre le reste de l'après-midi.

À un moment, alertée par nos cris, Mme Léonard frappa à la porte pour découvrir la cause de tout ce boucan. Elle sourit en me voyant et me proposa quelque chose à boire ou à manger. Je refusai poliment. Steve lui rétorqua qu'il voulait du caviar et une coupe de champagne, son ton autoritaire et capricieux me déplut.

Steve ne s'entend pas avec sa mère. Il vit seul avec elle – son père les a quittés quand il était tout petit – et ils sont toujours en train de se chamailler. J'ignore pourquoi. Je ne l'ai jamais interrogé là-dessus. Il y a certaines choses dont les garçons ne discutent pas entre amis. Les filles se confient tout, mais les garçons doivent parler d'ordinateurs, de foot, de guerre, etc. Les parents, ce n'est pas un sujet cool.

– Comment va-t-on sortir de la maison, ce soir ? chuchotai-je tandis que la maman de Steve repartait dans le salon.

– Pas de problème. Elle sort aussi. Elle nous croira au lit quand elle rentrera

Il dit toujours « elle », jamais « Maman ».

– Et si elle vérifie ?

Il ricana méchamment.

– Entrer dans ma chambre sans y être invitée ? Elle n'oserait jamais.

Je n'aime pas quand Steve parle comme ça, mais je me tus.

Steve a des tas de magazines et de vieux bouquins sur les monstres, les vampires, les loups-garous et les fantômes.

– Est-ce que le pieu qui tue les vampires ne doit pas obligatoirement être en bois ? demandai-je après avoir lu une BD sur Dracula.

– Non, dit-il. Il peut être en ivoire, ou même en plastique. L'essentiel, c'est qu'il soit assez solide pour traverser le cœur.

– Et le vampire meurt ?

– À tous les coups !

Je fronçai les sourcils.

– Tu m'as raconté qu'il fallait leur couper la tête, la farcir d'ail et la jeter dans une rivière !

– Certains livres le prétendent. Mais ça, c'est pour être sûr qu'on tue l'esprit du vampire en même temps que son corps, afin qu'il ne puisse pas devenir un fantôme.

– Parce qu'un vampire peut devenir un fantôme ? m'étonnai-je, les yeux écarquillés.

– Peut-être pas. Mais si tu veux en être sûr, autant lui couper la tête et t'en débarrasser, non ? Avec un vampire, il vaut mieux ne courir aucun risque !

– Et les loups-garous ? C'est vrai qu'il faut des balles en argent pour les tuer ?

– Je ne crois pas, répondit Steve. À mon avis, les balles ordinaires font l'affaire. Il en faut sans doute plusieurs, mais ça doit marcher.

– Tu crois que l'homme-loup du Cirque des Horreurs est un loup-garou ? demandai-je encore.

Steve secoua la tête. Il sait tout ce qu'il faut savoir en matière d'épouvante.

– D'après ce que j'ai lu, les soi-disant hommes-loups des spectacles de monstres ne sont que des types plus velus que la normale. Certains ressemblent davantage à des animaux qu'à des personnes, ils mangent de la chair crue et des trucs comme ça, mais ce ne sont pas des loups-garous. Un loup-garou n'aurait pas sa place dans un spectacle, parce qu'il ne se transformerait en loup que les nuits de pleine lune. Le reste du temps, il est normal.

– Oh, fis-je. Et le garçon-serpent ? Tu penses que...

– Hé ! s'exclama-t-il en riant, garde les questions pour plus tard. On ne sait pas à quoi va ressembler ce spectacle. Et si c'étaient des gens déguisés ?

La parade avait lieu de l'autre côté de la ville. Il nous fallut partir peu après neuf heures du soir pour être sûrs d'arriver à temps.

Tout en marchant, on se raconta des histoires de fantômes. Steve en connaît bien plus que moi. Il avait l'air en pleine forme. Parfois, il peut oublier la fin d'une histoire ou mélanger les noms, mais pas ce soir-là. J'avais l'impression d'être en compagnie de Stephen King !

Le trajet se révéla tout de même fort long, et on faillit se mettre en retard. Nous dûmes courir pendant la moitié du dernier kilomètre. On était hors d'haleine en arrivant.

Le lieu de rendez-vous était un très vieux théâtre autrefois transformé en cinéma. J'étais passé devant une ou deux fois. Steve m'avait raconté un jour qu'on l'avait fermé parce qu'un jeune garçon s'était tué en tombant du balcon. Il disait qu'il était hanté. Mon père affirmait, lui, qu'il s'agissait d'un paquet de mensonges.

Il n'y avait pas d'enseigne au-dessus de la façade, pas de voitures garées devant, pas de queue. On s'arrêta un moment pour récupérer notre souffle, en examinant le bâtiment. L'entrée ressemblait à une bouche géante ouverte sur les ténèbres. Les grands murs de pierre grise étaient en partie écroulés. Certaines fenêtres avaient des vitres brisées.

— Tu es sûr que c'est ici ? demandai-je à Steve en essayant de ne pas paraître trop effrayé.

— C'est ce qui est écrit sur les billets.

Il vérifia de nouveau, pour plus de sûreté.

— Ouais, c'est bien ça.

— Peut-être que la police est venue et que la représentation de ce soir a été annulée.

— Peut-être.

Je regardai mon ami. J'étais nerveux, indécis.

— Alors, qu'est-ce qu'on fait ?

Il hésita un instant avant de répondre.

— On entre, dit-il finalement. Ce serait idiot de repartir après avoir fait tout ce chemin.

– Bon, d'accord.

Le théâtre me faisait penser à ce genre de bâtiment qu'on voit dans les films d'épouvante ; celui dans lequel des tas de gens entrent pour ne jamais ressortir.

– Tu as peur ? soufflai-je à Steve.

– Non, répondit-il d'une voix mal assurée.

On échangea un petit sourire. Nous savions que nous étions terrifiés l'un et l'autre, mais au moins, nous étions ensemble. Ce n'est pas si mal d'avoir peur, quand on n'est pas seul.

– On y va ? me suggéra-t-il d'un ton qu'il voulait désinvolte.

– Ouais, autant y aller.

Après avoir respiré un bon coup et croisé les doigts, on escalada les marches menant à la porte béante (je comptai neuf grandes marches de pierre en tout. Elles étaient craquelées et couvertes de mousse). Puis on pénétra dans le théâtre.

8

Nous nous retrouvâmes dans une pièce obscure où régnait un froid de canard. J'en frissonnais sous mon blouson.

– Pourquoi est-ce qu'on gèle, tout à coup ? chuchotai-je à Steve. Dehors, il faisait pourtant chaud !

– Les vieilles bâtisses sont comme ça, déclara-t-il.

Il y avait au bout de la pièce une faible lueur qui s'intensifia au fur et à mesure de notre approche, ce qui me rassura. Les murs alentour étaient couverts d'éraflures et de graffitis, et le plafond s'écaillait par endroits. Ce décor qui devait être assez déprimant en plein jour devenait carrément sinistre à dix heures du soir.

– Voilà une porte, observa Steve en s'arrêtant.

Il poussa la porte, qui gémit bruyamment. Je faillis me sauver en courant. On aurait cru qu'on soulevait le couvercle d'un vieux sarcophage ! Steve ne s'en émut guère et passa la tête par l'entrebâillement. Il attendit quelques secondes, le temps que ses yeux s'habituent à l'obscurité, puis recula.

– C'est l'escalier qui mène au balcon, annonça-t-il. Il fait trop noir, et on n'aperçoit aucune lumière. On va essayer de trouver une autre entrée, mais...

– Je peux vous aider, jeunes gens ? proposa quelqu'un derrière nous.

Nous nous retournâmes d'un bond.

Il y avait là le plus grand homme que j'eusse jamais vu. Sa tête frôlait le plafond. Il avait de longues mains osseuses et des yeux aussi sombres que deux morceaux de charbon. Il nous examinait comme si nous étions un couple d'insectes.

– N'est-il pas un peu tard pour traîner dehors, les enfants ?

L'homme parlait d'une voix profonde et rocail-leuse, et ses lèvres semblaient à peine bouger. Il aurait fait un excellent ventriloque.

– N-nous... commença Steve.

Il dut s'arrêter et se maîtriser avant de poursuivre :

– ... nous sommes venus voir le Cirque des Hor-reurs.

– Vraiment ? fit l'homme en fronçant les sourcils. Vous avez vos billets ?

– Oui, dit Steve.

Et il montra le sien.

– Parfait, marmonna le géant.

Puis il se tourna vers moi et demanda :

– Et toi, Darren ? Tu as ton billet ?

– Oui, répondis-je en mettant la main dans ma poche.

Mais je m'arrêtai net. L'homme *connaissait mon nom*! Je regardai Steve, qui était devenu tout pâle.

Le géant sourit, découvrant deux rangées de dents jaunâtres dont certaines manquaient à l'appel.

— Je m'appelle M. Legrand, dit-il. Je suis le propriétaire du Cirque des Horreurs.

— Comment connaissez-vous le nom de mon ami? interrogea Steve avec audace.

M. Legrand se mit à rire et se baissa pour le regarder nez à nez.

— Je sais des tas de choses, susurra-t-il. Je connais vos noms, vos adresses. Je sais que tu n'aimes ni ta mère ni ton père.

Il se tourna vers moi, me faisant instinctivement reculer. Il avait l'haleine fétide.

— Et toi, je sais que tu n'as pas dit à tes parents que tu venais ici ce soir. Et je sais comment tu as gagné ton billet.

— Comment? demandai-je.

Ma voix tremblotait tellement que je n'étais pas sûr d'être intelligible. Peu importait, du reste, car au lieu de répondre, il se redressa brusquement et tourna les talons.

— Dépêchons, marmonna-t-il.

Je pensais qu'il allait s'éloigner à grandes enjambées, mais il marchait au contraire à pas menus.

— Le spectacle va commencer. Tous les spectateurs sont déjà à leur place. Vous êtes en retard, les garçons. Vous avez de la chance qu'on vous ait attendus.

Il obliqua sur la droite au bout du couloir. Il n'était qu'à deux ou trois pas devant nous, mais quand on tourna nous aussi, on le découvrit tout à coup assis derrière une grande table couverte d'une draperie noire qui descendait jusqu'au sol. Il portait à présent un grand chapeau rouge, et des gants.

– Vos billets, s'il vous plaît.

Il prit les billets que nous lui tendions.

– Bon, dit-il. Vous pouvez entrer, maintenant. Normalement, nous n'acceptons pas les gamins de votre âge, mais nous savons que vous êtes deux jeunes gens solides et courageux. Nous ferons une exception...

Deux pans de rideau en velours bleu foncé fermaient le couloir devant nous.

Je me dirigeai vers le rideau et le franchis, surprenant Steve. J'aperçus alors une draperie identique quelques mètres plus loin, et m'immobilisai. Il y eut un bruissement à mes côtés, Steve m'avait rejoint. Au-delà du deuxième rideau montait une espèce de brouhaha.

– Tu crois qu'on ne risque rien ? murmurai-je.

– Au point où on en est, il vaut mieux continuer que de rebrousser chemin, me répondit-il. Je n'ai pas envie de me retrouver en face de ce Legrand.

– À ton avis, comment pouvait-il en savoir autant sur nous ?

– Il lit peut-être dans les esprits.

Je réfléchis quelques secondes à cette éventualité.

– En tout cas, ça m'a drôlement secoué, dis-je.

– Moi aussi, admit Steve.

On entra dans la salle du théâtre. Elle était immense, pleine à craquer. On avait remplacé les fauteuils par des rangées de chaises de jardin. Nous parcourûmes celles-ci des yeux, cherchant deux places libres. Nous étions apparemment les seuls enfants. Je sentis que des gens nous regardaient en chuchotant.

Nous trouvâmes deux places au quatrième rang, de face, très bien situées – au beau milieu de la rangée, il n'y avait personne d'assez grand devant nous pour nous masquer la vue.

– Tu crois qu'ils vendent du pop-corn? dis-je.

– À une parade de monstres? ricana Steve. Ils vendent peut-être des œufs de serpent et des yeux de lézard, mais je te parie qu'il n'y a pas de pop-corn!

L'assistance était mélangée. On voyait des spectateurs sur leur trente et un, d'autres en tenue décontractée. Certains étaient vieux, d'autres avaient juste quelques années de plus que nous. Certains bavardaient avec animation comme à un match de foot, d'autres restaient silencieux sur leur siège et regardaient nerveusement autour d'eux.

Mais une même excitation, une même attente se lisaient dans les yeux de tous. Nous sentions que nous allions assister à quelque chose de spécial, quelque chose d'unique.

Il y eut une sonnerie de trompettes, et la salle entière se tut. Les trompettes continuèrent de résonner pendant ce qui me parut une éternité, de plus en plus fort, tandis que les lumières s'éteignaient peu à peu, nous plongeant dans l'obscurité totale. La peur m'assaillit de nouveau, mais il était trop tard pour m'enfuir.

Brusquement, ce fut le silence – un silence si soudain qu'il m'étourdit. Mes oreilles tintaient encore quand je me ressaisis et me redressai sur mon siège. Un projecteur s'alluma quelque part au-dessus de nos têtes, et un faisceau de lumière verte tomba sur la scène, révélant que le rideau avait été ouvert dans le noir. Puis deux hommes arrivèrent, tirant une cage montée sur roulettes et couverte d'une espèce de tenture. Ils s'arrêtèrent au milieu du plateau, abandonnèrent la cage et repartirent en coulisse.

Encore quelques secondes de silence, suivies de trois courtes sonneries de trompette. La tenture se détacha toute seule, tomba sur le plateau – et le premier monstre nous fut révélé.

C'est là que les gens se mirent à crier.

9

Les cris ne se justifiaient guère. Le monstre avait certes de quoi surprendre, mais il était enchaîné à l'intérieur d'une cage et ne risquait pas de nous sauter dessus.

Il s'agissait de l'homme-loup. Il était très laid, avec des poils sur tout le corps, et ne portait qu'une espèce de pagne à la Tarzan. Une épaisse toison couvrait ses jambes, son ventre, son dos et ses bras. Sa barbe hirsute lui mangeait tout le visage. Il avait des yeux jaunes et des dents rougeâtres.

Il secoua les barreaux de sa cage et hurla. C'était plutôt impressionnant, et les cris de l'assistance redoublèrent. Je me retins d'en faire autant.

L'homme-loup continua de secouer ses barreaux un moment ; puis il finit par se calmer et s'assit sur son arrière-train, à la façon d'un chien. M. Legrand fit alors son entrée et s'adressa au public.

— Mesdames et messieurs, dit-il de sa voix grave

et rauque, bienvenue au Cirque des Horreurs, qui réunit quelques-uns des êtres humains les plus remarquables du monde ! Notre très vieux cirque voyage depuis près de cinq siècles, apportant la vision du grotesque à des générations successives de spectateurs. Les artistes ont souvent changé au fil du temps, mais jamais notre but, qui est de vous stupéfier et de vous faire peur ! Nous vous présentons des numéros à la fois effrayants et bizarres, des numéros que vous ne verrez nulle part ailleurs !

Il promena son regard sur la salle et poursuivit :

– Les personnes impressionnables doivent partir immédiatement. Je suis sûr que certains d'entre vous sont venus ici ce soir en croyant à une vaste fumisterie. Ils pensent que nos monstres sont probablement des gens affublés d'un déguisement, ou des attardés inoffensifs. *Il n'en est rien !* Tout ce que vous verrez ce soir est authentique, et peut-être dangereux ! Vous êtes prévenus !

Telle fut la fin de son discours, et il sortit de scène.

Deux jolies femmes en maillot lamé argent arrivèrent. Elles déverrouillèrent la porte de la cage de l'homme-loup, qui en sortit en émettant des grognements. Les spectateurs retinrent leur respiration.

Une des femmes saisit l'homme-loup par le cou. Elle passa la main devant les yeux de l'effrayante créature tout en murmurant une mystérieuse litanie qui parut l'hypnotiser L'autre s'adressa à l'assistance. Elle avait un accent étranger.

– Faites le moins de bruit possible, dit-elle. L'homme-loup restera inoffensif tant que nous pourrons le contrôler, mais un choc sonore risque de le réveiller et de le rendre mortellement dangereux !

Elles descendirent dans la salle et promenèrent l'homme-loup parmi les spectateurs. Son pelage était d'un gris sale et il marchait courbé en avant, les mains pendantes, à hauteur des genoux.

Les deux femmes ne le lâchaient pas, recommandant au public de rester calme. Ceux qui en avaient envie pouvaient le caresser. Steve lui palpa le dos quand il passa près de nous, mais comme j'avais peur qu'il ne s'éveille et ne me morde, je me gardai de le toucher.

– C'était comment ? demandai-je à mon ami.

– Piquant, me répondit-il. Comme un hérisson.

Il porta ses doigts à son nez et renifla.

– Et ça dégage une drôle d'odeur aussi, une odeur de caoutchouc brûlé.

L'homme-loup et ses deux comparses étaient à mi-chemin de l'allée centrale quand on entendit un grand bang ! J'ignore ce qui produisit ce bruit, mais l'homme-loup émit un rugissement et repoussa brutalement les deux femmes.

Les spectateurs se mirent à crier, et ceux qui étaient les plus proches de lui bondirent de leur siège et partirent en courant. Une femme ne fut pas assez rapide, cependant ; il lui sauta dessus et la fit tomber. Elle hurlait de terreur, mais personne n'essaya de lui venir en aide. L'homme-loup se pencha sur la femme et découvrit ses crocs. Comme elle levait la main pour le repousser, il la lui *arracha* d'un coup de dent !

Deux personnes s'évanouirent à ce spectacle, des tas d'autres braillèrent de plus belle en fuyant de tous côtés. C'est alors que M. Legrand apparut, surgi de nulle part. Il s'approcha de l'homme-loup par-derrière et l'étreignit solidement entre ses bras. L'homme-loup commença par se débattre, mais M. Legrand lui murmura quelque chose à l'oreille et il se calma. Tandis que M. Legrand le reconduisait à sa cage, les femmes en maillot lamé argent s'efforcèrent d'apaiser le public et le prièrent de se rasseoir.

La foule hésitait, la femme à la main arrachée continuait à hurler de douleur. Le sang jaillissait de son poignet mutilé, aspergeant tout le monde alentour. Steve et moi la regardions, bouche bée, nous demandant si elle allait mourir.

M. Legrand redescendit de scène et ramassa la main qui gisait par terre. Il porta à ses lèvres un sifflet suspendu à son cou et émit un sifflement strident. Deux individus en tunique bleue, la tête dissimulée sous une capuche, arrivèrent au pas de course. Ils étaient petits – à peine plus hauts que moi ou Steve – et trapus, avec des tas de muscles et des jambes épaisses. M. Legrand fit asseoir la femme et lui chuchota quelque chose. Elle cessa de crier et se tint immobile.

M. Legrand sortit de sa poche une petite bourse de cuir. Il l'ouvrit, puis saisit le poignet ensanglanté et répandit sur celui-ci une pincée d'une poudre rose. Ensuite, il colla la main coupée dessus, et adressa un petit signe de tête aux deux individus en tunique bleue. Chacun d'eux exhiba alors une aiguille et une pelote de fil orange; et à la stupéfaction de toute l'assistance, ils se mirent à recoudre la main sur le poignet!

Les personnages en tunique bleue travaillèrent avec dextérité pendant cinq ou six minutes. La femme ne semblait ressentir aucune douleur, bien que l'on vît les aiguilles entrer dans sa chair et en ressortir. Quand ce fut fini, ils rangèrent leurs aiguilles et leur fil et retournèrent d'où ils étaient venus. À aucun moment leur capuchon baissé n'avait permis d'apercevoir leurs traits, de sorte que j'ignorais s'il s'agissait d'hommes ou des femmes. Après leur départ, M. Legrand lâcha la main de la femme et recula.

– Remuez les doigts, ordonna-t-il.

La femme le regarda sans comprendre, ce qui obligea l'homme à répéter :

– Remuez les doigts!

Elle obéit, cette fois. Ses doigts bougeaient!

Tout le monde s'exclama de stupeur. La femme regardait ses doigts, incrédule. Elle se leva, secoua fortement sa main, et celle-ci était comme neuve! On voyait les points de suture, mais il n'y avait plus trace de sang et les doigts bougeaient normalement.

– Tout ira bien, maintenant, affirma M. Legrand. Les fils de suture tomberont tout seuls d'ici deux ou trois jours. Et vous serez comme avant.

– Peut-être que ça ne suffit pas! cria un grand homme au visage congestionné. Je suis son mari, et j'estime qu'on devrait appeler la police! Vous n'avez pas le droit de laisser une bête féroce se balader au milieu des gens! Et s'il lui avait arraché la tête, hein?

– Elle serait morte, répondit calmement M. Legrand.

– Écoutez, monsieur le Malin... commença le mari.

M. Legrand l'interrompit.

– Dites-moi, cher monsieur, où étiez-vous quand l'homme-loup a attaqué votre femme ?

– *M-moi ?* demanda l'homme.

– Oui, vous. Vous êtes son mari. Vous étiez près d'elle, je suppose, lorsque la bête s'est réveillée. Pourquoi n'avez-vous pas volé à son secours ?

– Heu, je... je n'ai pas eu le temps... je n'ai pas pu... je n'étais pas...

L'homme perdait la face, car il n'existait qu'une réponse : il n'avait pensé qu'à sauver sa peau et s'était sauvé.

– Allons, reprit M. Legrand, vous avez été prévenu que nos numéros pouvaient être dangereux. Nous ne sommes pas à l'abri d'une erreur, et j'ai connu des victimes qui s'en sont tirées beaucoup plus mal que votre épouse. C'est pour ça que le spectacle est interdit ; c'est pour ça que nous le donnons dans de vieux théâtres au milieu de la nuit. La plupart du temps, tout se déroule sans problème et personne n'est blessé ; mais je ne peux pas garantir votre sécurité...

Il tourna lentement sur lui-même et parut regarder dans les yeux chacun des spectateurs.

– Nous ne pouvons garantir la sécurité de *personne* ! rugit-il. Un autre accident pourrait arriver. Une fois de plus, je vous le répète : si vous avez peur, partez ! Partez avant qu'il ne soit trop tard !

Quelques personnes quittèrent effectivement les lieux. Mais la plupart restèrent pour voir le reste du spectacle – même la femme qui avait failli perdre la main.

– Tu veux qu'on s'en aille ? demandai-je à Steve en espérant à moitié qu'il dirait oui.

J'étais effrayé en même temps qu'excité.

– Tu es fou ? me rétorqua-t-il. C'est génial ! Tu ne veux pas partir, toi, j'espère ?

Jamais de la vie ! mentis-je.

Et je réussis à accrocher un petit sourire à mes lèvres.

Si seulement je n'avais pas tant redouté de passer pour un trouillard ! Je serais rentré chez moi, point final. Mais non, il fallait que je joue les fortiches et que je tienne jusqu'au bout. Si vous saviez combien de fois j'ai regretté de ne pas avoir fichu le camp sans un regard en arrière !

10

Dès que M. Legrand eut quitté les lieux et que chacun eut regagné sa place, le deuxième monstre, Alex le Désossé, fit son apparition sur scène. Son numéro, plutôt comique, venait juste à point pour nous détendre après ce début terrifiant. Tandis qu'il se présentait, je remarquai du coin de l'œil que deux des individus en tunique bleue étaient agenouillés dans l'allée centrale, en train de nettoyer le sang qui avait coulé sur le sol.

Alex le Désossé était l'homme le plus maigre que j'eusse jamais vu. Un véritable squelette ! Il semblait n'avoir pas de chair du tout. Sans son grand sourire amical, il aurait fait peur.

Il enfila un tutu et se mit à danser autour du plateau sur une musique endiablée. Il avait l'air si ridicule que, bientôt, tout le monde riait de bon cœur. Au bout d'un moment, il cessa de danser et commença à étirer ses membres et à les plier en tous sens. Ma parole, il devait avoir du caoutchouc à la place des os ! Par exemple, il était capable de se courber en arrière jusqu'à ce que sa tête touche le sol, puis de la faire réapparaître entre ses jambes, de sorte qu'elle avait l'air de sortir de son ventre.

Après quelques exercices supplémentaires, il quitta la scène sous les bravos et les applaudissements.

À Alex le Désossé succéda Rhamus Doublebide, un homme aussi gros qu'Alex était maigre – autrement dit ÉNORME ! Le plancher gémit douloureusement sous son poids lorsqu'il s'avança sur le plateau.

Il s'arrêta tout au bord de l'avant-scène en faisant semblant de trébucher et de manquer de basculer dans la salle. Les gens des premiers rangs sursautèrent, certains se levèrent pour s'écarter de son chemin. Je les comprenais : s'il était tombé sur eux, il les aurait aplatis comme des crêpes !

Il regarda l'assistance.

– Hello ! dit-il.

Il avait une agréable voix de basse.

– Je m'appelle Rhamus Doublebide, et j'ai deux estomacs ! Je suis né ainsi, ça arrive aussi chez les animaux. Les docteurs ont été très étonnés, ils ont déclaré que j'étais un monstre. C'est pour ça que j'ai décidé de faire partie de ce spectacle, et que je suis ici ce soir.

Les femmes qui avaient hypnotisé l'homme-loup arrivèrent, poussant deux chariots surchargés de nourriture : montagnes de choucroute, hamburgers, cakes, chips, paquets de friandises.

« Miam-miam ! » fit Rhamus.

Il leva le doigt vers une gigantesque pendule que l'on fit descendre des cintres à l'aide de cordes et de poulies. Elle s'arrêta deux mètres au-dessus de sa tête.

– Combien de temps croyez-vous qu'il me faudra pour avaler tout ça? demanda-t-il en montrant cette fois l'amoncellement de nourriture.

– Une heure! cria quelqu'un.

– Quarante-cinq minutes! cria quelqu'un d'autre.

– Deux heures, dix minutes et trente-trois secondes! hurla un plaisantin.

Chaque spectateur brailla sa suggestion. Je proposai une heure trois minutes, Steve vingt-cinq minutes. La supposition la plus courte était de dix-sept minutes.

Quand on se calma, la pendule se mit à égrener on tic-tac sonore, et Rhamus commença à manger. Il avalait à toute allure, sa bouche ne semblait jamais se refermer. Il y enfournait des poignées de nourriture, les engloutissait, remettait ça sans s'arrêter. Ses mains se déplaçaient si vite qu'on les voyait à peine bouger.

Nous étions fascinés, en même temps qu'un peu écœurés.

Finalement, Rhamus goba une ultime poignée de friandises et la pendule cessa de faire entendre son tic-tac.

Quatre minutes et cinquante-six secondes! Il avait tout mangé en moins de cinq minutes! Ça paraissait incroyable, même pour un homme avec deux estomacs.

– C'était très bon, conclut Rhamus. J'aurais même bien pris un petit supplément de dessert.

Sous nos applaudissements et nos rires, les deux femmes au maillot rutilant emportèrent les chariots en coulisse, et en rapportèrent un autre sur lequel s'entassaient des statuettes en verre, des fourchettes, des cuillers et un bric-à-brac d'objets de métal.

– Avant de commencer, déclara Rhamus, je dois vous prévenir qu'il ne faudra pas essayer de faire ça à la maison ! Je suis capable d'avaler des choses qui étoufferaient et tueraient les gens normaux. Ne cherchez pas à m'imiter ! Vous risqueriez d'en mourir !

Il se mit à avaler sans sourciller des poignées de vis, de clous et d'écrous. À chaque déglutition, on voyait remuer son gros ventre, et on entendait le métal tinter en tombant à l'intérieur.

Un instant plus tard, il recracha le tout ! S'il n'y avait eu qu'un ou deux clous, j'aurais pu croire qu'il les avait gardés cachés sous sa langue ou dans les replis de ses bajoues ; mais même la bouche de Rhamus Doublebide n'était pas assez grande pour contenir cette ferraille !

Ensuite, il mangea les statuettes en verre. Il croquait dans le verre pour l'écraser en petits morceaux, et le faisait passer avec une gorgée d'eau.

Vint le tour des cuillers et des fourchettes. Il les tordait entre ses doigts boudinés, en formait des cercles, les jetait au fond de son gosier et les laissait glisser ; il disait que ses dents n'étaient pas assez solides pour mâcher le métal.

Il avala enfin une longue chaîne d'acier, puis s'arrêta pour reprendre haleine. Son ventre se mit à tressauter, à s'agiter, jusqu'au moment où Rhamus exhala une espèce de gros chuintement et que le bout de la chaîne ressortit de sa bouche. Tandis qu'il tirait sur la chaîne pour l'extirper totalement, nous découvrîmes que toutes les cuillers et les fourchettes y étaient attachées! Il avait réussi à faire passer la chaîne à travers les anneaux de métal – dans son ventre! C'était tout bonnement incroyable.

Quand Rhamus quitta la scène sous nos bravos, je me dis que personne ne pouvait surpasser un tel numéro. Je me trompais!

11

Après le numéro de Rhamus Doublebide, deux autres individus en tunique bleue, le capuchon ramené sur la tête, circulèrent dans la salle pour vendre des souvenirs. Il y avait des trucs vraiment cool, comme des reproductions en chocolat d'écrous, vis et autre ferraille que Rhamus avait avalés, et des poupées de caoutchouc à l'effigie d'Alex le Désossé, qu'on pouvait étirer et plier en tous sens. Il y avait aussi des mèches du pelage de l'homme-loup. J'en achetai une : les poils étaient durs et piquants comme du fil de fer.

— Gardez un peu d'argent pour plus tard ! plaisanta M. Legrand sur scène. Ne dépensez pas tout maintenant, il y aura une deuxième tournée !

Steve désigna une statuette en verre comme celles que Rhamus avait croquées.

— Combien coûte cette statuette ? demanda-t-il.

En guise de réponse, la personne encapuchonnée

de bleu lui tendit un carton avec le prix dessus.

– Je ne sais pas lire, s'excusa Steve. Pouvez-vous me dire combien elle coûte ?

Pourquoi mentait-il ? L'autre ne répondit pas. Il (ou elle) secoua la tête et s'éloigna avant que Steve n'ait le temps d'insister.

– Qu'est-ce que tu cherchais à faire ? m'étonnai-je.

Steve haussa les épaules.

– Je voulais l'entendre parler. Histoire de voir si c'était un être humain.

– Bien sûr que c'était un être humain ! Que veux-tu que ce soit d'autre ?

– Je n'en sais rien, dit-il. C'est pour ça que je posais la question. Tu ne trouves pas bizarre qu'ils cachent tout le temps leur visage ?

– Ils sont peut-être timides, hasardai-je.

– Ouais, peut-être.

Mais je vis qu'il ne croyait guère à ma supposition.

Quand les vendeurs de souvenirs eurent fini leur tournée, le monstre suivant apparut sur la scène. C'était la femme à barbe, et je crus tout d'abord qu'il s'agissait d'une plaisanterie, car elle n'avait pas de barbe du tout !

M. Legrand s'avança derrière elle et déclara :

– Mesdames et messieurs, voici un numéro très spécial. Je vous présente Truska, nouvelle venue dans notre famille. C'est une artiste incroyable, au talent réellement unique.

Il quitta le plateau. Truska était très belle, vêtue d'une robe rouge ondoyante qui consistait en une juxtaposition de voiles transparents. Plusieurs hommes dans le théâtre commencèrent à toussoter et à s'agiter sur leur siège.

Truska vint se poster tout au bord de la scène, afin d'être bien visible, puis émit un son qui ressemblait à l'aboiement d'un phoque. Elle porta ses mains à son visage et caressa doucement ses joues. Puis elle se pinça le nez, et de sa main libre, se chatouilla le dessous du menton.

Une chose extraordinaire se produisit alors : sa barbe se mit à pousser ! Les poils émergèrent et s'allongèrent, d'abord sur son menton, puis sur sa lèvre supérieure, puis sur ses joues, et finalement sur tout son visage. Ils étaient blonds, longs et raides.

Un instant plus tard, elle cessa de se pincer le nez. Elle descendit se promener çà et là parmi les spectateurs et les laisser tirer sur sa barbe.

La barbe continua de pousser et finit par atteindre ses pieds ! Parvenue au fond de la salle, Truska fit demi-tour et remonta l'allée centrale en direction du plateau. Bien qu'il n'y eût aucun courant d'air, ses longues mèches de poils dansaient follement autour de son visage, comme agitées par une forte brise.

Quand elle fut de nouveau sur scène, M. Legrand demanda si quelqu'un avait une paire de ciseaux. Plusieurs femmes répondirent par l'affirmative. M. Legrand les invita à monter sur le plateau.

– Le Cirque des Horreurs offre un lingot d'or à quiconque sera capable de couper la barbe de Truska ! s'écria-t-il.

Et il brandit un lingot d'or étincelant pour apporter la preuve qu'il ne plaisantait pas.

Cela excita des tas de spectateurs, et pendant dix minutes, presque tout le monde dans le théâtre essaya de couper la barbe en question. Impossible ! Rien ne pouvait trancher les poils de la femme à barbe, même pas le sécateur que M. Legrand tendit à la ronde. Le plus curieux, c'est que ces poils étaient doux et soyeux comme des cheveux ordinaires !

La défaite générale ayant été admise, M. Legrand pria les gens de vider le plateau, et Truska s'avança de nouveau seule en scène. Comme précédemment, elle se caressa les joues et se pinça le nez, mais cette fois, la barbe se rétracta ! Il fallut environ deux minutes pour qu'elle disparaisse entièrement sous la peau, et Truska retrouva sa beauté et ses joues lisses. Elle sortit de scène sous un tonnerre d'applaudissements, cédant la place au numéro suivant.

Il s'appelait Hans la Main Leste. Il commença par nous parler de son père, qui était né sans jambes. Le père de Hans, ayant appris à se déplacer sur ses mains avec autant d'aisance que les gens normaux sur leurs pieds, avait transmis cette faculté à ses enfants.

Hans s'assit par terre et ramena chacun de ses pieds derrière son cou. En appui sur les mains, il parcourut le plateau de long en large, puis descendit d'un bond dans la salle et défia quatre hommes – choisis au hasard – à la course. Il promit un lingot d'or à quiconque le battrait.

L'allée qui faisait le tour du théâtre leur servit de piste de course. En dépit de son désavantage, Hans battit facilement les quatre concurrents. Il affirma être capable d'effectuer sur ses mains un cent mètres en huit secondes et personne n'osa mettre en doute cette affirmation. Ensuite, il accomplit quelques tours de gymnastique impressionnants, prouvant qu'un individu peut parfaitement se débrouiller sans ses jambes. Son numéro n'était pas particulièrement excitant, mais agréable.

Il y eut une courte pause après la sortie de Hans, puis M. Legrand réapparut.

– Mesdames et messieurs, déclara-t-il, notre prochain numéro est encore un numéro unique et déconcertant. Il peut aussi se révéler très dangereux, c'est pourquoi je vous demanderai de ne pas faire de bruit, et de vous garder d'applaudir avant qu'on ne vous y autorise !

Tout le public se tut. Après l'incident de l'homme-loup, on n'avait pas besoin de se le faire dire deux fois ! C'est donc dans un silence impressionnant que M. Legrand annonça le numéro suivant :

– M. Krapula et Madame Octa !

Puis il s'éclipsa. La lumière baissa légèrement, et l'on vit arriver sur scène un homme à l'allure inquiétante, vêtu d'une ample tunique rouge sombre. Il était long et mince, avec une peau très blanche, et quelques mèches de cheveux orange taillées en brosse au sommet du crâne. Une grande cicatrice lui balafrait la joue gauche. Elle descendait jusqu'à sa lèvre et déformait sa bouche, qui semblait tiraillée d'un côté.

Il tenait à la main une petite cage en bois. Il posa celle-ci sur une table puis nous regarda, s'inclina et sourit. Il avait l'air encore plus effrayant quand il souriait – un clown dément dans un film d'épouvante !

Il expliqua ce qu'allait être son numéro.

Je ratai le début de son discours parce que Steve venait de distraire mon attention. Il était presque aussi blanc que M. Krapula, qu'il fixait d'un air stupéfait comme s'il voyait un fantôme !

12

– Les tarentules ne sont pas toutes venimeuses...
expliquait M. Krapula.

Sa voix profonde exerçait sur moi une fascination
qui me fit oublier l'étrange réaction de Steve, et mon
regard se braqua de nouveau sur la scène.

– La plupart ne sont pas plus dangereuses que les
araignées domestiques qu'on rencontre un peu partout dans le monde... Et celles qui sont effectivement
venimeuses ont juste assez de poison en elles pour
tuer de très petites créatures... Toutefois, la morsure
de certaines est mortelle ! Elles sont rares, celles qui
tuent, mais elles existent.

Il prit un temps et ajouta :

– Je possède une de ces araignées.

Au même instant, un écran s'alluma derrière lui, à
mi-hauteur des cintres.

– Le numéro qui va suivre est filmé et projeté
simultanément sur cet écran, afin qu'aucun détail

n'échappe aux spectateurs, enchaîna M. Krapula.
Notamment à ceux qui sont au fond de la salle.

Et il ouvrit la porte de la cage.

Pendant quelques secondes, rien ne se produisit;
puis une énorme araignée sortit sans se presser – à la
fois en direct et sur l'écran, où son image agrandie
avait de quoi vous donner le frisson. Elle était vert et
pourpre, avec de longues pattes velues et un gros
abdomen bien gras. Je n'ai pas peur des araignées,
loin de là, mais celle-ci me parut terrifiante.

Elle s'avança lentement et s'immobilisa. Ses pattes
fléchirent et son corps se tassa, comme si elle guettait
une mouche.

– Madame Octa partage mon existence depuis plusieurs années, poursuivit M. Krapula. Elle vit beaucoup plus longtemps que les araignées ordinaires.
D'après le moine qui me l'a vendue, certains spéci-
mens de son espèce peuvent atteindre jusqu'à vingt
ou trente ans. C'est une créature venimeuse d'une
intelligence surprenante.

Un des personnages en tunique bleue amena une
chèvre sur scène. Elle se débattait en émettant des
bêlements déchirants. L'homme à la capuche l'atta-
cha à la table et sortit.

L'araignée se remit à bouger quand elle vit et
entendit la chèvre. Elle rampa jusqu'au bord de la
table où elle s'arrêta, comme attendant un ordre.
M. Krapula sortit de sa poche un mince pipeau – qu'il
appelait une flûte – et souffla dedans quelques notes
brèves. Madame Octa sauta immédiatement en l'air et
atterrit sur la nuque de la chèvre.

La chèvre fit un bond quand l'araignée lui tomba dessus, et se mit à bêler de plus belle. Madame Octa ne s'en émut guère. Elle affermit sa position, et dès qu'elle fut prête, planta profondément ses crochets à venin dans le cou de l'animal ! L'écran ne nous épargna rien de cette scène éprouvante.

La chèvre s'immobilisa, ses yeux s'agrandirent. Elle cessa de bêler, et quelques secondes plus tard, s'effondra. Je la crus morte, puis me rendis compte qu'elle respirait encore.

— C'est grâce à ma petite flûte que je peux contrôler Madame Octa... expliquait M. Krapula. Bien que nous vivions ensemble depuis très longtemps, elle n'a rien d'un animal domestique, et elle me tuerait sûrement si je perdais cet instrument !

Je détachai mon regard de la chèvre gisante et reportai mon attention sur lui. Il montrait la flûte au public.

— La chèvre est paralysée, reprit-il. J'ai entraîné Madame Octa à ne pas tuer dès la première piqûre. L'animal finirait par mourir si on le laissait dans cet état – il n'y a pas d'antidote pour le venin de Madame Octa – mais nous allons en finir rapidement.

Il joua un air de flûte ; Madame Octa se déplaça sur la nuque de la chèvre et alla se poster sur son oreille. Elle montra ses crochets et piqua de nouveau. La pauvre chèvre fut parcourue d'un long frémissement, puis cessa de bouger.

Elle était morte.

Madame Octa sauta à terre et se dirigea vers l'avant-scène. Les gens du premier rang furent saisis

68

d'inquiétude, certains se levèrent d'un bond, prêts à
détaler. Mais un ordre bref de M. Krapula les figea
sur place.

– Ne bougez pas ! Rappelez-vous qu'un vacarme
soudain peut signifier la mort !

Madame Octa s'arrêta au bord de la scène, puis se
dressa sur deux de ses pattes, comme un chien !
M. Krapula souffla doucement dans sa flûte, et elle se
mit à reculer, toujours sur deux pattes. Quand elle
atteignit un des pieds de la table, elle se retourna et y
grimpa.

– Vous ne risquez plus rien, maintenant, conclut
M. Krapula. Mais s'il vous plaît, évitez de faire trop
de bruit, car elle pourrait s'en prendre *à moi* !

Les gens se rassirent aussi discrètement que possible. Je ne sais pas si M. Krapula avait réellement
peur, ou si ça faisait partie de son numéro, mais il
semblait sincère. Il essuya son front en sueur du
revers de sa manche, porta la flûte à sa bouche et
souffla un autre petit air.

Madame Octa pencha la tête de côté, et parut
acquiescer. Alors M. Krapula posa la main droite sur
la table, et l'araignée grimpa le long de son bras. Voir
ces longues pattes velues se déplacer sur lui me
donna la nausée. Et pourtant, j'aimais les araignées !
Ceux qui en avaient peur devaient être au bord de
l'évanouissement.

Parvenue en haut de son bras, elle continua d'esca-
lader en frétillant son épaule, son cou, son oreille, et
ne s'arrêta que pour s'accroupir sur son crâne, tel un
curieux chapeau.

L'instant d'après, M. Krapula se remit à jouer de la flûte. Aussitôt madame Octa glissa de l'autre côté de son visage, descendit le long de la cicatrice, et se suspendit sous son menton, tête en bas, au bout d'une longueur de fil.

Elle se mit alors à osciller de plus en plus vite, d'un côté à l'autre, accrochée à son fil. Bientôt, elle se balançait au niveau des oreilles de M. Krapula. Elle avait ramené ses pattes contre son abdomen, et de là où je me trouvais, faisait penser à une pelote de laine sombre.

Quand la tarentule atteignit la bonne vitesse, M. Krapula rejeta brusquement la tête en arrière, l'envoyant voler au plafond. Le fil se rompit, et l'araignée retomba sur la table en effectuant de multiples sauts périlleux – qui lui valurent un tonnerre d'applaudissements.

M. Krapula planta ensuite sur la table un gymnase miniature comprenant des poids, des cordes, des anneaux, et fit exécuter à Madame Octa toute sorte d'exercices, comme soulever les poids au-dessus de sa tête, grimper à la corde, se balancer aux anneaux, etc.

Puis il installa devant elle un minuscule service de table. Il y avait là des assiettes, des couteaux, des fourchettes, des verres microscopiques. Les assiettes étaient garnies de mouches mortes et autres petits insectes. J'ignore ce qu'il y avait dans les verres.

Madame Octa engloutit ce dîner sans en laisser une miette. Elle pouvait se servir avec habileté de quatre fourchettes et quatre couteaux à la fois.

L'écran nous la montra même en train de saler un des plats !

Lorsqu'elle saisit enfin un verre et se mit à boire, je n'y tins plus – et je décidai que Madame Octa était l'araignée la plus extraordinaire du monde. J'aurais donné tout ce que je possédais pour l'avoir. Je savais que ça n'arriverait jamais, mais je pouvais toujours rêver !

Comme je me tournai vers Steve pour lui faire part de mon enthousiasme, je vis qu'il observait M. Krapula avec attention. Sa frayeur manifeste à l'apparition de ce personnage semblait s'être apaisée, mais je le sentais perplexe, préoccupé.

– Steve, qu'est-ce que tu as ? demandai-je.

Il garda bouche cousue.

– Steve ?

– Chuutt !

Il ne voulut rien dire de plus jusqu'à ce que M. Krapula soit sorti de scène. Il balbutia alors :

– C'est tout à fait étonnant !

– L'araignée ? m'écriai-je. C'était fabuleux ! Comment crois-tu que...

– Je me fiche de l'araignée ! Je parle de ce... heu, Krapula.

Il avait hésité à employer ce nom, comme s'il s'apprêtait à l'appeler autrement. Une fois de plus, sa réaction me surprit.

– M. Krapula ? m'étonnai-je. Qu'est-ce qu'il a de si spécial ? Il n'a fait que jouer de la flûte.

– Tu ne comprends pas ! rétorqua Steve avec colère. Tu ne sais pas qui c'est en réalité !

– Et toi, tu le sais ?

– Oui, me répondit-il. Il se trouve que je le sais.

Il paraissait de nouveau très inquiet.

– J'espère seulement que *lui* ne sait pas que je sais. Sans ça, nous sommes en danger de mort...

13

Un autre entracte suivit le numéro de M. Krapula et de Madame Octa. Steve ne m'en révélait pas davantage, ses lèvres restaient scellées. Il se contenta de marmonner :

– Il faut que je réfléchisse à tout ça.

Puis il ferma les yeux, baissa la tête et s'absorba dans ses pensées.

Durant cet entracte, on vendit encore plein de souvenirs chouettes : des poupées femme à barbe et Hans la Main Leste, et surtout, des araignées en caoutchouc qui ressemblaient à Madame Octa. J'en achetai deux, une pour moi et une pour Annie. Elles n'étaient pas aussi bien que la vraie, mais c'était mieux que rien.

Les lumières s'éteignirent et tout le monde se cala sur son siège pour regarder le numéro de l'artiste suivante, Gertha Gueule d'acier. C'était une grande femme au corps épais, avec un cou de taureau et une tête massive. Elle avait une expression renfrognée.

– Mesdames et messieurs, commença-t-elle, on m'appelle Gertha Gueule d'acier. J'ai les mâchoires les plus solides du monde! Un jour, quand j'étais bébé, mon père a glissé son doigt dans ma bouche pour jouer, et je l'ai tranché net!

Quelques spectateurs se mirent à rire, mais la femme les arrêta d'un regard furieux.

– Je ne suis pas une comique! aboya-t-elle. Si quelqu'un rit encore de moi, je descends et je lui arrache le nez d'un coup de dents!

Ça avait l'air d'une plaisanterie, mais plus personne n'osa glousser. Gertha parlait très fort. Chacune de ses phrases claquait comme un coup de fouet.

– Mes dents ont émerveillé des savants dans le monde entier! poursuivit-elle. On m'a examinée dans bien des écoles dentaires sans arriver à expliquer la force prodigieuse de mes mâchoires! On m'a offert des montagnes d'argent pour étudier mon cas, mais j'ai refusé parce que j'aime mieux voyager!

Elle saisit quatre barres d'acier – mesurant environ trente centimètres de long, mais de grosseur variée – et demanda des volontaires. Quatre hommes montèrent sur scène. Elle leur remit une barre à chacun, et les pria d'essayer de la tordre. Ils firent de leur mieux, sans y parvenir, bien entendu. Quand ils eurent échoué, elle prit la barre la plus mince, mordit dedans et la scia en deux.

Elle tendit les deux moitiés à l'un des hommes. Il les regarda, stupéfait, en porta une à sa bouche et tenta de mordre dedans, histoire de vérifier que c'était bien de l'acier. Le cri qu'il poussa en manquant de se briser les dents nous en donna la preuve.

Gertha fit subir le même sort à la deuxième et à la troisième barre, chacune plus épaisse que la précédente. Quand vint le tour de la quatrième, la plus grosse du lot, elle la mâchouilla comme une tablette de chocolat et en recracha les morceaux.

Ensuite, deux des assistants en tunique bleue apportèrent un grand radiateur, et elle fit des trous dedans ! Puis ce fut une bicyclette qu'elle mastiqua jusqu'à la transformer en une petite boule, pneus compris ! Il n'existait probablement pas une chose au monde que Gertha ne pouvait détruire à coups de dents si elle en décidait ainsi.

Gertha fit monter sur scène deux autres volontaires. Elle remit à l'un un marteau de forgeron et un grand burin, à l'autre une scie électrique. Puis elle se coucha sur le dos, cala le burin dans sa bouche, et fit signe au premier volontaire d'y assener un bon coup de marteau.

L'homme souleva le marteau bien au-dessus de sa tête, et le rabattit de toutes ses forces. Je crus que le visage de Gertha allait être écrasé en bouillie, et beaucoup d'autres le crurent aussi, à en juger par les cris qu'ils poussèrent en détournant les yeux.

Toutefois, Gertha n'était pas folle. Elle glissa vivement sur le côté, évitant le marteau qui heurta le sol avec fracas. Puis elle se redressa sur son séant et cracha le burin.

— Ha ! ricana-t-elle. Vous me preniez pour une idiote ? Je vous ai fait monter sur scène uniquement pour prouver que le marteau était bien réel !

Un des assistants à capuche vint enlever à l'homme le marteau de forgeron.

– Maintenant, regardez ! dit Gertha au public.

Elle se coucha de nouveau et remit le burin contre ses dents. L'assistant en tunique bleue marqua un temps, puis leva très haut le marteau de forgeron, et le rabattit plus vite et plus fort que ne l'avait fait le volontaire. Le marteau cogna le manche du burin avec un bruit furieux.

Lorsque Gertha se releva, je m'attendais à voir ses dents tomber en pluie, mais j'en fus pour mes frais. Elle retira le burin de sa bouche et nous adressa un sourire étincelant.

– Ha ! Vous avez cru que je me vantais, pas vrai ?

Le deuxième volontaire essaya de lui scier les dents à la scie électrique. Il promena l'instrument d'un côté de sa bouche à l'autre en soulevant des gerbes d'étincelles. Peine perdue. Les dents de Gertha, plus solides que jamais, résistèrent à ce traitement.

Gertha reçut une ovation en sortant de scène, et les jumelles Sive et Seersa lui succédèrent. C'étaient des contorsionnistes, comme Alex le Désossé. Leur numéro consistait à s'enrouler l'une autour de l'autre ou à mêler étroitement leurs membres de façon à ne former qu'un seul corps. Elles se livrèrent à plusieurs variations sur ce thème ; elles étaient plutôt habiles, mais me parurent un peu ternes, comparées au reste des artistes.

Quand Sive et Seersa eurent fini, M. Legrand s'avança et nous remercia d'être venus. Je crus que les monstres allaient ressortir des coulisses et s'aligner au bord de la scène pour nous saluer, selon l'usage, mais il n'en fut rien. M. Legrand nous informa simplement que nous pouvions acheter d'autres souvenirs en sortant. Il nous remercia encore une fois et déclara que le spectacle était terminé.

Quoique légèrement déçu par ce final un peu faible, j'en pris mon parti en pensant qu'il se faisait tard, et que les monstres avaient sans doute besoin de se reposer. Je me levai, saisis les souvenirs que j'avais achetés, et me tournai vers Steve pour lui dire qu'il était temps d'y aller.

Il regardait du côté du balcon, les yeux écarquillés. Je suivis son regard, et ce faisant, j'entendis les gens crier. Je découvris vite pourquoi.

Il y avait un énorme serpent sur le rebord du balcon, et il était en train de se glisser au bas d'une colonne pour atteindre les spectateurs assis juste au-dessous !

14

La langue du serpent allait et venait entre ses mâchoires, et il avait l'air très affamé. Il n'était pas très coloré – vert sombre, avec çà et là quelques taches plus vives – et semblait mortellement dangereux.

Il y eut une minute d'affolement. Ceux qui se dirigeaient déjà vers la sortie rebroussèrent chemin en se bousculant pour regagner leur place. Le serpent était presque parvenu au sol quand un projecteur fut braqué sur lui. Le reptile se figea et regarda la lumière sans ciller. Les gens avaient maintenant cessé de crier et retenaient leur souffle. On entendit un léger bruit du côté de la scène, et toutes les têtes se tournèrent : un garçon d'une quinzaine d'années venait de surgir sur le plateau. Très mince, avec de longs cheveux jaunes tirant sur le vert, il avait des yeux d'une forme bizarre, obliques comme ceux du serpent. Il portait une longue tunique blanche.

Le garçon émit une espèce de sifflement et leva les bras au-dessus de sa tête. La tunique tomba au sol, et tout le monde laissa échapper un cri de surprise. Il avait le corps couvert d'écailles !

Vêtu d'un simple slip, il luisait de la tête aux pieds, vert et or, jaune et bleu. Il se tourna pour nous montrer son dos, de couleur un peu plus foncée. Puis il se coucha sur le ventre et rampa vers l'avant-scène en ondulant, exactement comme un serpent. Enfin, il se coula dans la salle. C'est alors et alors seulement que je me rappelai le garçon-serpent dont parlait le prospectus.

Il se releva et se dirigea vers la colonne autour de laquelle s'enroulait le serpent, au fond du théâtre. Je remarquai, quand il passa près de nous, que ses doigts et ses orteils étaient soudés entre eux par une fine membrane. Il s'arrêta à quelques mètres de la colonne et s'agenouilla. Le projecteur qui aveuglait le serpent s'éteignit, et celui-ci se remit en mouvement. Il acheva sa descente et vint se dresser devant le garçon agenouillé. Le garçon émit un autre sifflement et le serpent s'immobilisa de nouveau. Je me souvins d'avoir lu quelque part que les serpents n'entendent pas les sons, mais perçoivent les vibrations.

Le garçon-serpent se balança légèrement de gauche à droite, et la tête du serpent suivit son mouvement. Je m'attendais à tout moment à ce qu'il frappe et tue, et je faillis crier au garçon de se sauver. Mais ce dernier savait ce qu'il faisait. Il avança lentement la main et chatouilla le serpent sous la gueule, de ses curieux doigts palmés. Puis il se pencha et l'embrassa sur les narines !

Le serpent s'enroula autour de la poitrine du garçon. Il en fit deux fois le tour, laissant sa queue pendre par-dessus son épaule comme une écharpe.

Le garçon sourit et se releva tout en caressant le reptile. Je crus qu'il allait se promener parmi les rangs de spectateurs pour nous permettre de le toucher, mais il remonta sur scène, salua, et quitta les lieux.

— Et ceci, mesdames et messieurs, est vraiment la fin du spectacle ! s'écria M. Legrand en surgissant de nouveau sur le plateau. Au revoir à tous, et à une prochaine fois !

Il y eut une détonation, M. Legrand fit un bond en l'air et s'évanouit dans un nuage de fumée. Lorsque la fumée se dissipa, je le vis au fond du théâtre, écartant le rideau au-dessus duquel on lisait le mot « sortie ».

Nous nous acheminâmes vers la sortie sans échanger un mot. Steve paraissait pensif, et je savais qu'il valait mieux ne pas lui parler quand ses réflexions l'absorbaient à ce point.

Le sourire de M. Legrand s'élargit à notre approche.

— Eh bien, les garçons, vous avez aimé le spectacle ? nous demanda-t-il.

— C'était génial ! m'écriai-je.

— Tu n'as pas eu peur ?

— Un peu, comme tout le monde !

— Vous êtes des coriaces, vous deux, fit-il en riant.

Il y avait des gens derrière nous et on se dépêcha de sortir. Une fois dans le couloir, Steve se pencha vers moi et me dit à l'oreille :

– Rentre tout seul.

– Q-quoi ? fis-je en m'arrêtant tout net.

– Tu m'as parfaitement entendu !

– Mais pourquoi devrais-je rentrer tout seul ?

– Parce que je ne viens pas avec toi ! Je reste. J'ignore comment tout ça va se terminer pour moi, mais je dois rester. Je te rejoindrai à la maison plus tard, quand j'aurai...

Il s'interrompit brusquement et m'entraîna.

Après avoir franchi les pans de velours bleu par lesquels on était arrivés, on se retrouva devant la longue table couverte d'une draperie noire. Steve s'assura que personne ne le voyait, puis plongea sous la table pour se cacher derrière la draperie !

– Steve ! soufflai-je, paniqué.

– Fiche le camp ! me souffla-t-il en retour.

– Mais tu ne peux pas...

– Fais ce que je te dis ! Va-t'en vite, au lieu d'attirer l'attention sur moi !

Ça ne me plaisait pas, mais que faire d'autre ? Steve allait piquer une colère si je n'obéissais pas. Je l'avais déjà vu se mettre en rogne, et je savais qu'il valait mieux éviter de le contrarier dans ces cas-là.

Je m'éloignai à contrecœur dans le couloir. Je marchais lentement, et les gens devant moi me distancèrent un peu plus. Il n'y avait personne derrière moi. Et puis je remarquai la porte qui menait au balcon. Celle qu'on avait entrouverte en venant. Je l'ouvris. Personne, là-dedans. L'escalier était toujours aussi sombre.

« Okay ! me dis-je. Je reste. Je ne sais pas ce que Steve mijote, mais c'est mon meilleur ami. S'il s'attire des ennuis, je veux être là pour l'aider à en sortir ! »

Je me glissai derrière la porte et la refermai vivement. J'étais seul dans le noir, le cœur battant, terrorisé.

J'attendis là pendant un bon moment. J'entendais des murmures assourdis, des exclamations. Puis le brouhaha des conversations s'estompa et se tut. Tout le bâtiment était à présent plus silencieux qu'un cimetière.

Je me relevai et gravis l'escalier. Mes yeux s'étant habitués à l'obscurité, j'y voyais un peu mieux. Les marches usées craquaient sous mon poids ; j'avais peur de dégringoler à travers et de me rompre le cou, mais elles tenaient bon. En arrivant au sommet, je découvris que je venais de déboucher au milieu du balcon. L'endroit était couvert de poussière et visiblement condamné. Il y faisait très froid. Tout frissonnant, je descendis vers le premier rang.

Je voyais parfaitement la scène, encore éclairée par quelques projecteurs. Il n'y avait personne dans le décor, ni monstre, ni capuchon bleu – ni Steve. Je m'assis et attendis.

Quelques minutes plus tard, je repérai une ombre en train de se hisser sur le plateau. Elle se dirigea vers le centre de la scène, s'arrêta et se retourna.

C'était Steve. Il regarda les coulisses à sa droite et à sa gauche, hésita, se rongea les ongles comme s'il ne savait pas de quel côté se diriger.

Puis une voix lui parvint. Elle s'élevait bien au-dessus de sa tête.

– C'est *moi* que tu cherches ?

Une forme sombre se laissa tomber des cintres, tenant les pans d'une cape rouge qui flottaient dans l'air comme des ailes.

Steve sursauta de frayeur quand la forme atterrit à ses pieds. J'en fis autant et me tassai au fond de mon fauteuil. J'avais reconnu la longue silhouette vêtue de pourpre, les cheveux orange, la peau livide, la grande balafre en travers de la joue...

M. Krapula !

Steve essaya de parler, mais ses dents s'entrechoquaient.

– Je t'ai vu m'observer d'un drôle d'air, dit M. Krapula. Tu as poussé un cri quand je suis entré en scène. Pourquoi ?

– P-parce q-que je s-sais qui v-vous êtes, bredouilla Steve, qui avait du mal à retrouver sa voix.

– Je suis Larten Krapula !

– Non. Je sais qui vous êtes *vraiment*.

– Ah, bon ?

M. Krapula sourit, mais il n'y avait aucune gaieté dans ce sourire.

– Alors, dis-le-moi, petit garçon, ricana-t-il. Qui suis-je vraiment ?

– Vous vous appelez Vur Horston, déclara Steve.

M. Krapula le regarda d'un air surpris. Et puis Steve ajouta quelque chose de stupéfiant :

– *Vous êtes un vampire.*

Il s'ensuivit un silence effrayant.

15

M. Krapula (ou Vur Horston, si tel était son vrai nom) examina Steve avec curiosité.

– Ainsi, murmura-t-il, me voilà découvert. Je n'en suis pas vraiment étonné, ça devait finir par arriver... Mais dis-moi, mon garçon, qui t'envoie ?

– Personne, répondit Steve.

M. Krapula fronça les sourcils.

– Allons, petit. Ne joue pas au plus fin avec moi. Pour qui travailles-tu ?

– Je ne travaille pour personne ! se défendit Steve. À la maison, j'ai des tas de bouquins sur les vampires. Il y avait une photo de vous dans l'un d'eux.

– *Une photo ?* répéta M. Krapula, soupçonneux.

– Enfin, la reproduction d'un tableau peint en 1903, à Paris. On vous y voyait en compagnie d'une jeune femme de la haute société. L'article racontait que vous aviez failli vous marier, mais que la femme vous avait rejeté en découvrant que vous étiez un vampire.

M. Krapula sourit.

– Une bonne raison s'il en est. Ses amis pensaient qu'elle avait inventé cette histoire fantastique pour se donner de l'importance.

– Mais ce n'était pas une histoire, n'est-ce pas ?

– Non, admit M. Krapula. Ce n'en était pas une.

Il fixa sur Steve un regard féroce.

– Encore qu'il aurait mieux valu pour toi que ça le soit !

Si j'avais été à la place de Steve, j'aurais pris mes jambes à mon cou en entendant ça. Mais il ne cilla même pas.

– Vous ne me ferez pas de mal, affirma-t-il. J'ai mis mon ami au courant, et s'il m'arrive quoi que ce soit, il ira trouver la police.

– Ils ne le croiront pas ! ricana M. Krapula.

– C'est probable, reconnut Steve. Mais si on s'aperçoit que j'ai disparu, ou si on me retrouve mort, ils seront bien forcés de l'écouter et de faire une enquête. Vous n'aimeriez pas ça, je pense. Des tas de policiers qui posent des questions, qui viennent fouiner ici en plein jour...

M. Krapula secoua la tête, écœuré.

– Les enfants ! grogna-t-il. Je les hais ! Qu'est-ce que tu veux ? De l'argent ? Des bijoux ? Les droits sur ma biographie ?

– Je veux me joindre à vous, dit Steve.

Je faillis tomber du balcon en entendant ça. *Se joindre à qui ?*

— Que veux-tu dire ? demanda M. Krapula, aussi surpris que moi.

— Je veux devenir un vampire. Je veux que vous fassiez de moi un vampire, et que vous me transmettiez votre savoir.

— Tu es fou ! rugit M. Krapula.

— Non, répliqua Steve.

— Je ne peux pas transformer un enfant en vampire ! Je serais condamné à mort par les Vampires Généraux, si je faisais ça !

— C'est quoi, les Vampires Généraux ?

— Ne t'occupe pas de ça ! Tout ce que tu dois savoir, c'est que c'est impossible. Nous n'initions pas les enfants. Ça crée trop de problèmes.

— Alors, ne me transformez pas tout de suite, suggéra Steve. Je peux attendre. Je sais que les vampires ont souvent des assistants mi-humains, mi-vampires. Engagez-moi. Je travaillerai pour vous, et quand je serai assez âgé...

M. Krapula regarda Steve et parut réfléchir. Ce faisant, il claqua dans ses doigts – et une chaise s'envola du premier rang pour venir se poser sur scène ! Il s'assit dessus et croisa les jambes.

— Pourquoi veux-tu devenir un vampire ? s'enquit-il. Ce n'est pas très amusant. On ne peut sortir que la nuit. Les humains nous méprisent. On est obligés de dormir dans des bâtiments en piteux état comme celui-ci. On ne peut ni se marier, ni avoir des enfants, ni s'installer longtemps quelque part. C'est une vie horrible.

— Ça m'est égal, répéta Steve avec entêtement.

– Est-ce parce que tu veux vivre éternellement ?
Dans ce cas je dois t'avertir que nous ne sommes pas
éternels. Nous vivons plus longtemps que la plupart
des humains, c'est vrai, mais nous mourons quand
même – tôt ou tard.

– Je m'en moque. Je veux rester avec vous. Je
veux apprendre. Je veux devenir un vampire.

– Tu serais obligé de quitter ta maison pour ne
plus revenir. Tes parents ne te manqueraient pas ?

Steve secoua la tête, misérable, et regarda le plancher.

– Mon père n'habite plus avec nous, murmura-t-il.
Je ne le vois pratiquement jamais. Et ma mère ne
m'aime pas. Elle se moque de ce que je fais. Elle ne
remarquera probablement même pas que je ne suis
plus là.

– C'est pour ça que tu veux te sauver ? Parce que
ta mère ne t'aime pas ?

– En partie, avoua Steve.

– Si tu attends quelques années, tu seras assez
grand pour quitter légalement ton foyer.

– Je n'ai pas envie d'attendre !

– Et l'école ? insista M. Krapula. Et tes amis ? Tu
ne regretteras pas, par exemple, le garçon avec lequel
tu es venu ici ce soir ?

Il avait presque l'air bon, en disant cela.

– Darren ? fit Steve.

Il haussa les épaules.

– Bien sûr que mes amis me manqueront. Spé-
cialement Darren. Mais je saurai m'en passer. Tout ce
que je désire, c'est être un vampire ! Si vous ne

m'acceptez pas, j'irai vous dénoncer à la police. Et plus tard, je deviendrai un chasseur de vampires !

Cela ne fit pas rire M. Krapula. Au contraire, il parut prendre la chose très au sérieux.

— Tu as bien réfléchi à tout ça, on dirait.

— Oui.

— Tu es certain que c'est ce que tu veux ?

— Oui ! cria Steve.

M. Krapula respira profondément.

— Viens près de moi, ordonna-t-il. Il faut d'abord que je te teste.

Steve s'approcha de M. Krapula. Son corps me cachait le vampire, à présent, de sorte que je ne vis pas ce qui se passait entre eux. Tout ce que je sais, c'est qu'ils échangèrent des propos à mi-voix, et que j'entendis ensuite le genre de bruit que fait un chat en lapant du lait.

Le dos de Steve fut agité d'un tremblement, et je crus qu'il allait tomber, mais il réussit à rester debout. Je ne saurais dire à quel point j'étais terrifié d'assister à une scène pareille. J'aurais voulu crier :

— Non, Steve ! Arrête !

Mais j'avais trop peur pour bouger.

Subitement, le vampire eut une quinte de toux. Il repoussa Steve, et à ma grande horreur, recracha vivement du sang. Sa bouche en était pleine.

— Qu'est-ce qui ne va pas ? balbutia Steve.

— Ton sang n'est pas bon ! cria M. Krapula. Tu es maudit ! Ton sang a le goût du mal !

— C'est un mensonge ! hurla Steve. Retirez ça !

Il se précipita sur M. Krapula et tenta de lui donner

des coups de poing, mais le vampire l'envoya au tapis d'une seule bourrade.

– C'est inutile, grommela-t-il. Ton sang est mauvais. Tu ne pourras pas être un vampire.

– Pourquoi? demanda Steve en se relevant.

Ses larmes coulaient.

– Parce que les vampires ne sont pas des assassins, expliqua M. Krapula. Nous respectons la vie. Nous avons besoin que nos proies soient vivantes pour sucer leur sang. Toi, tu as l'instinct d'un tueur. Nous ne sommes pas des tueurs.

Il secoua lentement la tête.

– Je ne ferai pas de toi un vampire, mon garçon. Oublie tout ça. Rentre chez toi, et continue ta vie.

– Non! hurla Steve. Je n'oublierai pas!

Il brandit un poing menaçant à la face du vampire.

– Je te ferai payer ça, Vur Horston! Peu m'importe le temps qu'il faudra! Un jour, je te retrouverai, et je te tuerai pour m'avoir rejeté!

Puis il bondit dans la salle et courut vers la sortie.

Je l'entendis rire au loin, d'une sorte de rire dément. Puis ce fut le silence. Je me retrouvai seul avec le vampire.

M. Krapula sortit un grand mouchoir de sa poche et s'essuya les lèvres.

– Les enfants! marmonna-t-il.

Il tourna les talons et disparut à son tour dans les coulisses.

Je restai où j'étais pendant un long moment. J'aurais voulu me ruer hors du théâtre, mais la peur me paralysait. Je finis toutefois par trouver le courage de me lever. Je rebroussai chemin sur des jambes tremblantes, descendis l'escalier, me faufilai dans le couloir et émergeai dans la nuit.

La lune nimbait d'une lueur fantomatique la façade grise du vieux théâtre. Je ne m'attardai pas dans les parages ; je pris mes jambes à mon cou et courus jusqu'à la maison sans demander mon reste. *Ma maison*, pas celle de Steve. Je n'avais pas envie de retrouver Steve pour le moment. Il me faisait presque aussi peur que M. Krapula. Fallait-il qu'il soit fou pour vouloir devenir un vampire !

16

Je me gardai de téléphoner à Steve ce samedi-là. Je racontai à Maman et à Papa que nous avions eu une petite dispute, et que j'étais revenu dormir à la maison à cause de ça. Mon histoire ne leur plut pas beaucoup, en particulier le fait que j'étais rentré tout seul à une heure aussi tardive. Papa me conseilla sèchement de ne pas recommencer. J'estimais m'en tirer à bon compte ; imaginez leur réaction s'ils avaient appris où j'étais vraiment allé !

Annie adora son cadeau. Elle joua pendant des heures avec l'araignée en caoutchouc, voulut tout savoir sur les monstres et me fit raconter le spectacle en détail. Ses yeux s'ouvrirent comme des soucoupes quand je lui parlai de l'homme-loup et de la femme à la main arrachée.

– Tu te fiches de moi ? dit-elle.

– Je t'assure que c'est vrai !

Je ne révélai pas à ma petite sœur que M. Krapula était un vampire, et que Steve voulait en devenir un ;

mais je pensai à eux toute la journée. J'aurais aimé parler à Steve, mais que lui dire ? Il me demanderait sans doute pourquoi il ne m'avait pas trouvé chez lui à son retour, et je ne voulais pas qu'il sache que j'étais resté au théâtre et que je l'avais espionné.

Je me posais des questions sur les vampires. Jusqu'où allaient leurs pouvoirs ? J'avais vu M. Krapula faire voler une chaise, je l'avais vu descendre en piqué du plafond du théâtre tel un grand oiseau noir, je l'avais vu boire un peu du sang de Steve. Que savait-il faire d'autre ? Pouvait-il se transformer en chauve-souris, s'évanouir en fumée ? Les miroirs réfléchissaient-ils son image ? L'éclat du soleil risquait-il de le tuer ?

En pensant à M. Krapula, je pensai aussi fatalement à Madame Octa. J'aurais tout donné pour qu'elle m'appartienne. Je me voyais faire partie du Cirque des Horreurs avec une araignée pareille. J'aurais voyagé de par le monde, et vécu de merveilleuses aventures.

Le dimanche s'éternisait. Le matin, je regardai la télé, aidai Papa au jardin et Maman à la cuisine (ma punition pour être rentré à la maison tout seul à des heures indues). L'après-midi, je fis une promenade durant laquelle j'eus de longues rêveries au sujet des vampires et des araignées.

Vint le lundi – et le temps de retourner à l'école. J'étais nerveux à cette idée, pas très sûr de ce que j'allais dire à Steve, ni de ce qu'il me dirait. En outre, comme je n'avais pas bien dormi pendant le week-end (on a du mal à s'endormir quand on vient de voir un vrai vampire), je me sentais plus ou moins fatigué.

Steve se trouvait déjà dans la cour, ce qui était inhabituel de sa part. D'ordinaire, j'arrivais toujours à l'école avant lui. Il se tenait un peu à l'écart et m'attendait visiblement. Je respirai un bon coup, et allai m'adosser au mur à côté de lui.

– Salut, dis-je.

– Salut.

Ses yeux cernés et légèrement bouffis montraient qu'il n'avait pas dû dormir beaucoup plus que moi, ces deux dernières nuits. À brûle-pourpoint, il me demanda :

– Où es-tu passé, après le spectacle ?

– Je suis rentré chez moi.

– Pourquoi ?

Il m'observait avec attention.

– Il faisait noir, je ne voyais pas très bien où j'allais. J'ai pris quelques mauvais tournants et je me suis à moitié perdu. Quand j'ai enfin retrouvé mon chemin, j'étais plus près de chez moi que de chez toi...

J'avais fait en sorte que ce mensonge paraisse le plus convaincant possible, et je voyais qu'il essayait de deviner si je disais ou non la vérité.

– Ça a dû t'attirer des ennuis, lâcha-t-il enfin.

– Et comment ! Mon père m'a passé un savon, et j'ai eu droit à des tas de corvées... Mais ça valait le coup, non ? ajoutai-je avec un sourire. Ce Cirque des Horreurs, c'était quelque chose, ma parole !

Steve m'étudia encore un moment, puis décida que je ne mentais pas.

– Ouais, fit-il en me rendant mon sourire. C'était génial !

Tommy et Alan arrivèrent, et il fallut tout leur raconter. Nous sommes de très bons acteurs, Steve et moi. Vous n'auriez jamais pensé qu'il avait parlé à un vampire, le samedi soir, ni que j'avais été témoin de la scène.

Mais au fur et à mesure que la journée s'écoulait, je pris conscience que les choses ne seraient plus jamais pareilles, entre nous. Une partie de lui doutait encore. Je le surpris à me regarder d'un air étrange de temps à autre, comme si je lui avais fait de la peine.

De mon côté, je me sentais moins proche de lui, désormais. Sa conversation avec le vampire m'avait effrayé. Selon M. Krapula, Steve était maléfique. Ça m'inquiétait. Après tout, il rêvait de devenir vampire et de vider les gens de leur sang. Comment aurais-je pu continuer à être l'ami d'un type pareil?

Un peu plus tard, on en vint à parler de Madame Octa. Steve et moi n'avions rien dit de M. Krapula jusqu'alors, craignant sans doute de laisser échapper quelque chose de compromettant; mais comme Tommy et Alan n'arrêtaient pas de nous bombarder de questions, je finis par leur décrire tout le numéro.

— Comment crois-tu qu'il contrôlait son araignée? demanda Tommy.

— C'était peut-être une fausse araignée, suggéra Alan.

— Non! protestai-je. Elle est bien réelle, ça ne fait aucun doute. C'est ce qui rend tout ça si exceptionnel!

— Alors, comment la contrôlait-il? répéta Tommy.

— Je n'en sais rien. Peut-être que la flûte est magique. Ou peut-être que M. Krapula sait charmer les araignées, comme les Hindous savent charmer les serpents.

– La flûte n'est pas magique, intervint Steve.

Il avait gardé le silence jusqu'ici.

– Alors, qu'est-ce qu'il a utilisé comme moyen, à ton avis ? lui demandai-je.

– La télépathie.

– La télépathie ! s'exclamèrent Alan et Tommy en chœur.

– Oui. À mon avis, c'est comme ça que M. Krapula contrôle son araignée. Il lui envoie des messages avec son esprit.

– Et la flûte ? insistai-je.

– Il s'en sert juste pour la frime. Ou alors, et c'est plus probable, il en a besoin pour retenir son attention.

– Tu veux dire que n'importe qui pourrait contrôler cette bestiole ? reprit Tommy.

– À condition d'avoir un cerveau, oui, affirma Steve... Ce qui t'élimine, ajouta-t-il avec un sourire pour montrer qu'il plaisantait.

– On n'a donc pas besoin de flûte magique ni d'entraînement spécial ou quoi que ce soit ?

– Non, je ne crois pas.

La conversation porta sur autre chose après ça – le foot, je crois – mais je n'écoutais pas. Parce que tout à coup, j'avais le cerveau en ébullition. J'en oubliai Steve, les vampires et tout le reste.

– *Tu veux dire que n'importe qui pourrait la contrôler ?*

– *À condition d'avoir un cerveau, oui.*

– *On n'a donc pas besoin de flûte magique ni d'entraînement spécial ou quoi que ce soit ?*
– *Non, je ne crois pas.*

Ces phrases me revenaient sans cesse aux oreilles comme un disque rayé.

N'importe qui pouvait la contrôler. Et ce n'importe qui, ça pouvait être moi. Si j'arrivais à mettre la main sur Madame Octa et à communiquer avec elle par la pensée, elle deviendrait mon jouet favori et...

Non. C'était trop absurde. Elle appartenait à M. Krapula, et il n'accepterait jamais de s'en séparer, ni pour de l'argent, ni pour des bijoux, ni...

La solution me vint en un éclair. Un moyen de la lui enlever. Un moyen de m'en emparer, d'en faire ma chose. Le chantage ! Si je menaçais le vampire – je pouvais prétendre que j'allais lui mettre la police sur le dos – il serait forcé de me la donner !

Mais la pensée de me retrouver face à face avec M. Krapula me terrifiait. Je savais que j'étais incapable de l'affronter. Ce qui me laissait une seule option : j'allais être forcé de la *voler* !

17

L'aube me semblait le meilleur moment pour voler l'araignée. Comme ils se produisaient sur scène à une heure avancée de la nuit, les artistes du Cirque des Horreurs devaient probablement dormir jusqu'à huit ou neuf heures du matin. Je me faufilerais dans leur camp, trouverais Madame Octa, m'emparerais d'elle et repartirais en courant. En cas de pépin – si le camp était en pleine activité –, je me contenterais de rebrousser chemin et j'oublierais tout.

Le plus difficile était de choisir le jour. Mercredi me paraissait idéal : la dernière représentation ayant été donnée la veille, le cirque ferait ses malles et repartirait pour la prochaine étape avant que le vampire ne s'éveille et ne découvre le vol. Mais que se passerait-il s'ils quittaient la ville tout de suite après le spectacle, au milieu de la nuit ? Alors, j'aurais raté ma grande chance.

Il valait mieux faire ça demain matin – mardi. Ça signifiait hélas que M. Krapula aurait toute la nuit pour rechercher son araignée – et celui qui l'avait volée –, mais j'étais prêt à courir le risque.

Je me mis au lit assez tôt. En dépit de ma fatigue, j'étais convaincu que l'excitation allait m'empêcher de m'endormir tout de suite. J'avais embrassé Maman et Papa plus tendrement que d'habitude. Ils durent penser que j'allais leur demander une faveur, mais c'était juste au cas où il m'arriverait quelque chose au théâtre et où je ne les reverrais jamais.

Je réglai mon radioréveil à cinq heures du matin.

Je sombrai dans le sommeil plus vite que prévu et dormis comme une souche jusqu'au petit matin.

Presque aussitôt, me sembla-t-il, le réveil sonna. Je grognai, me retournai, et je m'assis sur mon séant en me frottant les yeux. Pendant une seconde ou deux, je ne sus pas très bien où j'étais, ni pourquoi je me réveillais si tôt. Puis je me rappelai l'araignée et mon plan, et souris de satisfaction.

Quand je fus certain que mes parents dormaient encore, je sautai du lit et m'habillai aussi rapidement que je le pus. Je descendis au rez-de-chaussée et sortis de la maison. Le soleil se levait, la journée promettait d'être radieuse.

Je m'éloignai d'un pas rapide en chantonnant pour me donner du courage. J'étais un paquet de nerfs, et je faillis rebrousser chemin à plusieurs reprises. À un moment, je tournai même les talons pour de bon et repris le chemin de la maison ; puis je me rappelai la façon dont l'araignée s'était balancée sous le menton de M. Krapula, et les tours savants qu'elle avait exécutés, et je repris la direction du théâtre.

Je ne saurais expliquer pourquoi Madame Octa exerçait un tel attrait sur moi, ni pourquoi je bravais le danger et prenais tant de risques pour la posséder. Même à présent, en y repensant, je ne suis pas sûr de ce qui me motivait. C'était comme une affreuse envie que je me sentais forcé de satisfaire.

De jour, la vieille bâtisse ne perdait rien de son aspect sinistre, avec les fissures qui zébraient sa façade décrépite et ses vitres brisées aux fenêtres. Je me dépêchai d'en faire le tour. L'arrière donnait sur un quartier désert. Maisons vides, cours encombrées de ferraille, dépotoirs, tas d'ordures. Dans le petit matin, ce décor encore assoupi ressemblait à un bidonville fantôme. Je ne vis même pas un chat ou un chien.

Comme je le pensais, le théâtre offrait diverses voies d'accès. On pouvait choisir entre deux portes et des tas de fenêtres.

Il y avait plusieurs voitures et caravanes parquées derrière le bâtiment. Aucune ne portait d'affiche ou d'inscription, mais elles ne pouvaient qu'appartenir au Cirque des Horreurs. L'idée que les monstres habitaient probablement dans les caravanes me traversa l'esprit. Si M. Krapula dormait dans l'une d'entre elles, mon plan tombait à l'eau.

Je n'eus aucun mal à me glisser dans le théâtre, la première porte n'étant pas verrouillée. Il y faisait encore plus froid que le samedi soir. Je m'acheminai sur la pointe des pieds le long d'un couloir, puis d'un autre, et encore un autre. C'était un véritable dédale, et je me demandai avec angoisse si je retrouverais jamais la sortie.

Au bout d'un moment, la chance me sourit. Je remarquai une volée de marches de bois descendant au sous-sol. Je mis le pied sur la première et hésitai pendant une éternité, me mordillant la lèvre et me demandant si je devais descendre. J'avais vu suffisamment de films d'épouvante pour savoir que c'était dans ce genre de sous-sol que j'avais le plus de chances de rencontrer un vampire – ou d'être assassiné et découpé en petits morceaux ! Je me décidai enfin et amorçai ma descente. Mes chaussures faisaient trop de bruit ; je les enlevai et poursuivis en chaussettes.

Il y avait une énorme cage à côté de la dernière marche au bas de l'escalier. Je m'en approchai et regardai à travers les barreaux. L'homme-loup gisait à l'intérieur, affalé sur le dos, endormi, il ronflait. Il s'agita et gémit sous mon regard, me faisant bondir en arrière. S'il s'éveillait, ses hurlements mettraient tous les monstres à mes trousses en moins de deux !

Comme je reculais, mon pied écrasa quelque chose de mou et de glissant. Je baissai les yeux et découvris le garçon-serpent, étendu à terre de tout son long ! Il avait les yeux grands ouverts, et son serpent était enroulé autour de lui !

Je ne sais comment je réussis à ne pas crier, et à rester debout, mais cela me sauva sans doute. Car bien qu'il eût les yeux ouverts, le garçon-serpent dormait profondément. Je m'en rendis compte à sa respiration paisible et régulière. J'essayai de ne pas penser à ce qui se serait passé si j'étais tombé sur lui et si je l'avais réveillé – ainsi que son serpent !

Ayant fait mon plein d'émotions, j'étais résolu à repartir si je ne repérais pas le vampire. Mes yeux parcoururent la cave obscure. Pendant deux ou trois secondes, je ne vis rien, et je m'apprêtai à filer quand je remarquai ce qui ressemblait à un grand coffre le long d'un mur. Ça *aurait pu* être un grand coffre, mais je savais trop bien à quoi j'avais affaire, en réalité. Un cercueil !

J'avalai ma salive, et m'en approchai. Il mesurait environ deux mètres de long. Le bois était sombre et usé, couvert çà et là de taches de moisissure, et les cafards qui se baladaient dessus détalèrent en me voyant.

J'aimerais pouvoir dire que je fus assez courageux pour soulever le couvercle et jeter un coup d'œil à l'intérieur, mais je ne le fis pas, bien sûr. La seule pensée de toucher ce cercueil me donnait le frisson !

Je cherchai la cage de Madame Octa, convaincu qu'elle ne devait pas être loin de son maître. Je ne me trompais pas : la cage était sur le sol, près de la tête du cercueil, recouverte d'un morceau d'étoffe rouge.

Je regardai dedans pour vérifier; l'araignée s'y trouvait, le ventre soulevé par de sourdes pulsations, ses huit pattes parcourues d'un léger frémissement. Vue de si près, elle avait quelque chose d'horrible, de terrifiant, et pendant une seconde, j'envisageai de la laisser là; tout à coup, mon projet me semblait stupide, et l'idée de toucher ses pattes velues ou de la laisser s'approcher de mon visage me remplissait de dégoût et d'effroi. Mais seul un vrai trouillard aurait tourné les talons à ce stade. Je saisis donc la cage. La clé était suspendue au verrou par une chaînette, et la flûte attachée aux barreaux, sur le côté.

Je sortis de ma poche la note que j'avais préparée chez moi la veille. Elle était simple, mais j'avais mis une éternité à l'écrire. Je la relus avant de l'épingler sur le couvercle du cercueil.

Monsieur Krapula,

Je sais qui vous êtes et ce que vous êtes. J'ai pris Madame Octa et je la garde. Ne la cherchez pas. Ne revenez jamais dans cette ville. Si vous le faites, je dirai à tout le monde que vous êtes un vampire, et on vous poursuivra pour vous tuer. Je ne suis pas Steve. Steve ignore tout de cette affaire. Je m'occuperai bien de l'araignée.

Bien entendu, je ne l'avais pas signée.

Mentionner Steve n'était probablement pas une bonne idée, mais j'avais la certitude que le vampire penserait à lui de toute façon, aussi valait-il mieux l'innocenter.

Le papier étant en place, il fut temps de repartir. Je pris la cage et m'élançai dans l'escalier – aussi vite et aussi discrètement que possible. Puis je remis mes chaussures et gagnai la sortie. Et une fois dehors, je refis le tour du bâtiment et courus jusqu'à la maison d'une seule traite, laissant derrière moi le théâtre, le vampire et ma peur – laissant tout derrière moi, en fait... à l'exception de Madame Octa !

18

Je rentrai chez moi environ vingt minutes avant le lever de mes parents. Je dissimulai la cage de l'araignée au fond de ma penderie, sous une pile de vêtements, laissant assez d'espace à Madame Octa pour respirer. Là, elle serait en sécurité ; Maman me laissait le soin de ranger ma chambre et ne montait presque jamais vérifier.

Je me glissai dans mon lit et fis semblant de dormir. Papa m'appela à huit heures moins le quart. Je m'habillai pour aller à l'école et descendis déjeuner en bâillant comme si je venais tout juste de m'éveiller. J'avalai mon petit déjeuner en toute hâte et remontai examiner Madame Octa. Elle n'avait pas bougé depuis la veille. Je secouai légèrement la cage, mais elle ne bougea toujours pas.

J'aurais aimé rester à la maison pour garder l'œil sur elle, mais c'était impossible. Quand je fais semblant d'être malade, Maman le devine toujours. Elle est trop intelligente pour se laisser avoir.

La journée me parut durer un siècle. Les secondes s'étiraient interminablement, et même la pause déjeuner n'en finissait pas ! J'essayai de jouer au football, mais mon cœur n'y était pas. En classe, je n'arrivais pas à me concentrer et n'arrêtais pas de donner des réponses stupides aux questions les plus simples.

L'école se termina enfin ; je pus me précipiter à la maison et grimper dans ma chambre.

Madame Octa était toujours à la même place. Je craignis un instant qu'elle ne soit morte, mais elle semblait respirer. Puis l'idée me frappa qu'elle attendait sa nourriture. J'avais déjà vu des araignées se comporter de la sorte. Elles pouvaient rester tassées sur elles-mêmes pendant des heures, à attendre que leur prochain repas passe dans les parages.

Je ne savais pas très bien ce que je devais lui donner à manger, mais supposai qu'elle ne devait pas être différente dans ce domaine de la plupart des autres araignées. Je me rendis dans le jardin, m'arrêtant au passage pour prendre un bocal vide dans le placard de la cuisine.

Il ne me fallut pas longtemps pour dénicher deux ou trois mouches mortes, quelques punaises et un ver de terre frétillant. En remontant dans ma chambre, je cachai le bocal sous mon T-shirt pour éviter que Maman ne me pose des questions. Je fermai la porte et coinçai une chaise sous le loquet, afin que personne ne puisse entrer. Puis je posai la cage de Madame Octa sur mon lit et ôtai l'étoffe qui la recouvrait. La lumière surprit l'araignée, qui parut tressaillir et se tasser encore davantage sur elle-même.

J'étais sur le point d'ouvrir la petite porte et de jeter la nourriture à travers quand je me rappelai que j'avais affaire à une araignée venimeuse qui pouvait me tuer d'une simple piqûre.

Je saisis un des insectes vivants, une punaise, et la fis tomber entre les barreaux de la cage. Elle atterrit sur le dos, agita frénétiquement les pattes, réussit à rouler sur le ventre et rampa vers la liberté. Elle n'alla pas loin.

Dès qu'elle la vit se déplacer, Madame Octa chargea. En une fraction de seconde, elle était passée de l'immobilité à une action foudroyante et transperçait l'insecte de ses crochets.

Elle avala la punaise à toute allure. Une araignée normale en aurait été repue pour la journée, mais pour Madame Octa, ce n'était qu'un léger amuse-gueule. Elle retourna à sa place et me regarda l'air de dire : « Le hors-d'œuvre était bon, mais qu'y a-t-il au menu comme plat principal ? »

Je lui donnai tout le contenu du bocal. Le ver de terre se défendit courageusement, se tordant et s'agitant comme un fou. Elle le divisa en deux, puis en quartiers avant de le déguster. Elle parut apprécier ce ver plus que tout le reste.

Il me vint une idée, et j'allai chercher mon journal sous le matelas. Ce journal est mon bien le plus précieux ; c'est parce que je note dedans tout ce qui m'arrive que je peux écrire ce livre. J'ai une bonne mémoire des événements, mais si j'oublie un détail, il me suffit d'ouvrir mon journal pour vérifier les faits et reprendre le fil de mon récit.

J'y inscrivis donc à la dernière page tout ce que je savais sur Madame Octa : ce que M. Krapula avait dit d'elle pendant le spectacle, les tours qu'elle exécutait, la nourriture qu'elle aimait bien, celle qu'elle aimait beaucoup (jusqu'ici, le ver de terre, que je soulignai). Ainsi, je pourrais définir le meilleur moyen de la nourrir, et la récompense que je lui donnerais quand je voudrais lui faire faire quelque chose.

Je lui apportai ensuite des miettes de nourriture glanées dans le réfrigérateur : fromage, jambon, laitue et corned-beef. Elle mangea absolument tout ce que je lui donnais. Apparemment, nourrir cette vilaine dame allait me donner du boulot !

La nuit du mardi fut horrible. Je me demandais quelle serait la réaction de M. Krapula en s'éveillant, quand il trouverait ma note à la place de son araignée disparue. Partirait-il sans faire d'histoire, comme je le lui suggérais, ou se lancerait-il à la recherche de son petit trésor ? Peut-être, étant donné que tous deux étaient capables de communiquer par télépathie, suivrait-il sa trace jusque *chez moi* ?

Je passai des heures éveillé dans mon lit, un crucifix sur la poitrine. Je n'étais pas certain que le crucifix suffirait à éloigner le vampire. Je savais que ça marchait dans les films, mais Steve affirmait que c'était bidon.

Je finis par m'endormir vers deux heures du matin. Si M. Krapula était venu, il m'aurait eu totalement à sa merci ; fort heureusement, quand je me réveillai le lendemain, il n'y avait pas trace de son passage, et Madame Octa se reposait toujours dans la penderie.

Je me sentis bien mieux le mercredi – surtout en allant me promener dans les parages du vieux théâtre après l'école, et en découvrant que le Cirque des Horreurs était reparti. Plus de voitures, plus de caravanes. Il ne subsistait rien de son passage chez nous.

J'avais réussi ! Madame Octa était à moi !

Je fêtai ça en achetant une pizza géante. Jambon et poivrons. Maman et Papa voulurent savoir ce que je célébrais. Je répondis que j'avais juste envie de quelque chose de différent, et leur en offris une part, ainsi qu'à Annie. Ils n'insistèrent pas.

J'en rapportai des miettes à Madame Octa, qui adora ça. Elle fit le tour de la cage en se léchant les babines. Je notai dans mon journal : « *En cas de récompense très méritée, un morceau de pizza.* »

Les deux jours suivants se passèrent à familiariser Madame Octa avec son nouvel environnement. Sans la sortir de la cage, je la promenai autour de ma chambre afin qu'elle puisse en découvrir tous les recoins. Je ne voulais pas qu'elle se sente nerveuse le jour où je finirais par la libérer.

Ce faisant, je lui parlais sans arrêt : de moi, de ma vie, de ma famille. Je lui dis combien je l'admirais, lui décrivis la nourriture que j'allais lui donner, le genre de tours que nous mettrions au point tous les deux. Peut-être ne comprenait-elle pas tout, mais elle en donnait l'impression.

Le jeudi et le vendredi après l'école, je me rendis à la bibliothèque et je lus toute la documentation que je pus trouver sur les araignées. Je découvris des tas de choses que j'ignorais. Par exemple, qu'elles peuvent avoir jusqu'à huit yeux, et que le fil dont elles tissent leurs toiles est une sorte de fluide gris qui durcit au contact de l'air. Mais aucun livre ne faisait état d'araignées savantes ou dotées de facultés télépathiques. Et je ne vis pas de photo ou croquis d'une araignée comme Madame Octa. Personne ne semblait en avoir rencontré une semblable. Elle était unique !

Quand vint le samedi, je décidai qu'il était temps de la laisser sortir de sa cage et d'essayer quelques tours. M'étant entraîné à la flûte, je pouvais à présent jouer correctement quelques petits airs simples. Le plus dur serait d'envoyer des messages mentaux à Madame Octa tout en jouant. Ça n'allait pas être du gâteau, mais il me tardait de tenter l'expérience.

L'après-midi, je montai dans ma chambre, fermai la porte et la fenêtre. Papa était au travail et Maman faisait du shopping avec Annie. Il n'y avait personne près de moi, de sorte que si quelque chose tournait mal, ce serait entièrement ma faute et je ne pourrais m'en prendre qu'à moi-même.

Je déposai la cage au milieu du plancher. Je n'avais pas alimenté Madame Octa depuis la nuit précédente, pensant qu'elle aurait peut-être moins envie de travailler, le ventre plein. Les animaux peuvent être paresseux, tout comme les humains.

Je retirai l'étoffe, mis la flûte entre mes lèvres, tournai la clé et ouvris la petite porte de la cage. Ensuite je reculai et m'accroupis, afin que l'araignée puisse me voir.

Madame Octa ne fit rien pendant un certain temps. Puis elle s'avança vers la porte, s'arrêta et huma l'air.

Elle semblait trop grosse pour se faufiler à travers l'ouverture, et je craignis un instant de l'avoir trop bien nourrie les jours précédents. Mais elle réussit à sortir en se glissant sur le côté.

Elle resta sur la moquette, devant sa cage, son gros ventre agité de douces pulsations. Je pensai qu'elle allait peut-être faire le tour les lieux, mais elle ne montrait pas le moindre intérêt pour ma chambre.

Ses yeux étaient fixés sur *moi*.

J'avalai ma salive et essayai de lui cacher ma peur. Je ne sais pas comment je réussis à ne pas trembler, à ne pas émettre un son. La flûte avait glissé hors de ma bouche tandis que je l'observais, mais ma main la tenait toujours. Je me dis qu'il était temps de commencer à jouer et la portai à mes lèvres.

C'est là qu'elle passa à l'action. Vive comme l'éclair, elle s'élança dans l'air d'un bond géant - visant mon visage de ses crochets mortels !

19

Je serais sans doute mort à l'heure qu'il est si Madame Octa avait atteint son but, mais la chance était de mon côté, car l'araignée heurta violemment la flûte et retomba au sol.

Elle atterrit en boule à mes pieds et resta étourdie pendant deux secondes. Sachant que ma vie dépendait de la promptitude de mes réactions, je me mis à jouer fébrilement de la flûte, la bouche sèche et le cœur battant.

En entendant la musique, Madame Octa pencha la tête sur le côté. Elle se redressa sur ses pattes et parut tituber, comme ivre. J'avalai une bouffée d'air sans cesser de jouer.

« Hello, Madame Octa, fis-je dans ma tête en fermant les yeux pour me concentrer. Je m'appelle Darren Shan. Je te l'ai déjà dit, mais je ne sais pas si tu m'as entendu. Je ne suis même pas sûr que tu m'écoutes en ce moment... Je suis ton nouveau propriétaire. Je te traiterai comme il faut, et je te donnerai à manger des tas d'insectes et de la viande. Mais seulement si *tu te conduis bien*, si tu fais tout ce que je te demande, et si tu ne recommences pas à m'agresser. »

Elle avait cessé de se balancer sur ses pattes et me regardait. J'ignorais si elle écoutait mes pensées ou mijotait sa prochaine attaque.

– Maintenant, je veux que tu te dresses sur tes pattes arrière, poursuivis-je mentalement. Je veux que tu te tiennes sur deux pattes et que tu fasses une petite révérence.

Elle ne réagit pas tout de suite. Je continuai à jouer de la flûte et à penser, la priant de se lever, puis lui ordonnant de le faire, puis la suppliant. Finalement, quand je fus presque à bout de souffle, elle se haussa sur deux pattes comme je le voulais, fit une petite révérence – et se détendit, attendant la suite.

Elle m'obéissait !

Je lui donnai l'ordre de retourner dans sa cage. Cette fois, je n'eus pas besoin d'insister, elle s'exécuta de bonne grâce. Dès qu'elle fut à l'intérieur de la cage, je refermai la porte et me laissai choir sur mes fesses, complètement sonné. La flûte s'échappa de ma bouche.

Le choc que j'avais reçu en la voyant me sauter dessus ! Mon cœur en battait encore la chamade. Je restai ainsi prostré un bon moment, songeant que j'avais frôlé la mort de très près.

Cet avertissement aurait dû me suffire. Tout individu sensé aurait verrouillé à jamais la porte de la cage et renoncé à jouer avec cet animal mortel. C'était trop dangereux. Et si Maman m'avait trouvé raide mort sur la moquette en rentrant à la maison ? Et si l'araignée en avait profité pour l'attaquer à son tour, et attaquer ensuite Papa et Annie ? Seul le dernier des crétins aurait couru un risque pareil une deuxième fois.

Un crétin nommé Darren Shan !

Impossible de résister. Je ne m'étais pas donné la peine de voler la tarentule pour la garder enfermée dans une stupide vieille cage ! Voilà du moins ce que je me répétais.

Je fus plus malin, cette fois. Je déverrouillai la porte, mais ne l'ouvris pas. Puis je jouai de la flûte et ordonnai mentalement à Madame Octa de *pousser* cette porte et de sortir. Elle obéit. Quand elle fut dehors, elle se plia à mes quatre volontés, aussi inoffensive qu'un chaton.

Je lui fis faire des tas de tours : bondir à travers la pièce comme un kangourou ; se suspendre au plafond, tisser des motifs fantaisistes avec sa toile ; soulever des poids (un crayon, une boîte d'allumettes, une bille). Après cela, je lui demandai de s'asseoir au volant d'une de mes voitures télécommandées, que je mis en marche. Madame Octa donnait l'impression de conduire ! Je l'envoyai s'écraser contre une pile de livres, mais la fis sauter hors de la voiture au dernier moment pour lui éviter de se blesser.

Je jouai ainsi avec elle une bonne heure durant, et j'aurais volontiers continué, mais j'entendis Maman rentrer à la maison, et je me dis qu'elle trouverait bizarre de me voir rester dans ma chambre toute la journée.

Je remis donc Madame Octa au fond de ma penderie et descendis au salon, m'efforçant de paraître aussi naturel que possible.

– Tu te passais un CD, là-haut ? s'enquit Maman.

Elle et Annie étaient en train de déballer leurs achats – des tas de paquets enrubannés – sur la table de la cuisine.

– Non, dis-je.

– J'ai cru entendre de la musique.

– Oh. Heu... je jouais de la flûte.

Maman s'arrêta d'étaler ses paquets.

– Toi ? Tu jouais de la flûte ?

– Je sais en jouer, Maman. Tu m'as appris quand j'avais cinq ans, tu te souviens ?

– Si je m'en souviens ! gloussa-t-elle. Je me rappelle aussi qu'à six ans, tu as décrété que la flûte, c'était bon pour les filles. Et tu as jeté la tienne !

Je haussai les épaules comme s'il s'agissait d'un petit détail mineur.

– Eh bien, j'ai changé d'avis. J'ai trouvé une flûte en revenant de l'école hier, et je me suis demandé si j'étais toujours capable d'en jouer.

– Où l'as-tu trouvée ?

– Sur la route.

– J'espère que tu l'as lavée avant de la mettre dans ta bouche. Dieu sait d'où elle peut venir.

– Je l'ai lavée, mentis-je.

– C'est une très agréable surprise, dit Maman en souriant.

Elle m'ébouriffa les cheveux et me donna un gros baiser mouillé sur la joue.

– Hé ! Arrête ça ! protestai-je.

– Nous ferons un Mozart de toi, enchaîna-t-elle. Je vois ça d'ici : toi au piano dans une immense salle de concert, vêtu d'un beau smoking blanc, ton père assis au premier rang et...

– Reviens sur terre, Maman ! soupirai-je. Ce n'est qu'une flûte.

– Tu serais chouette, en smoking ! ricana Annie.

Je lui tirai la langue.

Les quelques jours suivants furent géniaux. Je m'amusais avec Madame Octa chaque fois que je le pouvais, lui donnais à manger tous les après-midi (elle n'avait besoin que d'un repas par jour, à condition qu'il fût copieux), et je n'avais pas à me soucier de fermer ma chambre à clé, parce que Maman et Papa étaient d'accord pour ne pas me déranger quand je m'exerçais à la flûte.

J'envisageai un moment de parler de Madame Octa à Annie, puis résolus d'attendre un peu. Je faisais des progrès avec l'araignée, mais je sentais que je la rendais encore un peu nerveuse. Je ne mettrais pas Annie en sa présence avant d'avoir l'absolue certitude que c'était sans danger.

Mon travail scolaire s'améliora, et mon jeu au foot atteignit des sommets : vingt-huit buts entre le mardi et le vendredi. Même M. Dalton fut impressionné.

– Avec tes bonnes notes en classe et tes prouesses sur le terrain, me dit-il, tu pourrais devenir à la

fois footballeur professionnel et prof d'université!
Un croisement entre Ronaldo et Einstein!

Je savais qu'il me faisait marcher, mais c'était
quand même gentil de sa part.

Il me fallut apprendre à bien me contrôler avant
de laisser Madame Octa se promener sur mon corps
et sur mon visage, mais finalement j'essayai. Je
jouai ma meilleure chanson tout en lui répétant plusieurs fois ce que je voulais qu'elle fasse; puis,
quand je jugeai que nous étions prêts, je l'autorisai à
sortir de la cage, et elle se mit à grimper le long de
la jambe de mon pantalon.

Tout se passa bien jusqu'à ce qu'elle parvienne à
mon cou. Le contact de ses longues pattes velues me
fit presque lâcher la flûte. Si je l'avais fait, j'aurais
été bon pour la morgue, car elle se trouvait à
l'endroit idéal pour planter ses crochets. Dieu merci,
mes nerfs tinrent bon et je continuai à jouer.

Elle escalada mon oreille et monta se reposer un
instant au sommet de mon crâne. Le cuir chevelu me
démangeait, mais j'eus le bon sens de ne pas me
gratter. Je m'étudiai dans le miroir et souris. On
aurait dit que j'étais coiffé d'un béret.

Je la fis redescendre au bas de mon visage, et se
suspendre à mon nez par un fil. Puis je lui demandai
de me chatouiller le menton. Pas trop longtemps,
parce que j'avais peur de me mettre à rire et de
lâcher la flûte!

En la renvoyant dans sa cage ce vendredi soir, je
nageais dans le bonheur, je débordais d'optimisme,
l'avenir s'annonçait glorieux, toute ma vie allait être

parfaite. Je travaillais bien à l'école, je jouais bien au foot, et j'avais un petit animal favori pour lequel n'importe quel garçon de mon âge aurait donné tout ce qu'il possédait.

C'est là, bien sûr, que tout commença à aller mal, et que le ciel finit par me tomber sur la tête.

20

Steve passa chez moi le samedi soir. On ne s'était guère parlé au cours de la semaine, et je ne m'attendais pas à le voir. Maman le fit entrer, et me cria de descendre. J'étais déjà dans l'escalier quand je découvris à qui j'avais affaire. Je m'arrêtai, et l'invitai à monter dans ma chambre.

Il regarda autour de lui comme s'il n'était pas venu depuis des mois.

– J'avais presque oublié à quoi ressemblait ton repaire, murmura-t-il.

– Ne sois pas stupide, dis-je. Tu étais là il y a deux semaines.

– Ça m'a semblé plus long.

Il s'assit sur mon lit et tourna les yeux vers moi. Son visage était triste et sérieux.

– Pourquoi m'évites-tu, ces derniers temps ? me demanda-t-il.

Je fis comme si je ne savais pas de quoi il parlait.

– Qu'est-ce que tu racontes ?

– Tu n'as pas cessé de m'éviter depuis deux semaines. Je ne m'en suis pas rendu compte tout de suite, mais tu passes de moins en moins de temps en ma compagnie. Tu ne m'as même pas sélectionné dans ton équipe quand on a joué au basket en gym, jeudi dernier.

– Tu n'es pas très bon, au basket.

C'était une piètre excuse, mais je n'avais pas pu trouver mieux.

– J'ai d'abord été surpris, poursuivit Steve, et puis j'ai compris. Tu ne t'es pas perdu, l'autre soir après le cirque, pas vrai ? Tu es resté au théâtre, caché au balcon probablement, et tu as assisté à ce qui s'est passé entre moi et Vur Horston.

– Je n'ai rien fait de pareil ! protestai-je.

– Tu n'as rien vu ?

– Non.

– Tu ne m'as pas entendu discuter avec Vur Horston ?

– Non !

– Tu n'as pas...

– Écoute, Steve, interrompis-je, ce qui a pu se passer entre toi et M. Krapula est ton affaire. Je n'étais pas là, je n'ai rien vu, je ne sais pas de quoi tu parles. Et si tu...

– Ne me mens pas, Darren.

– Je ne mens pas !

– Alors, comment sais-tu que je parlais de M. Krapula ?

– Parce que je... parce qu'il...

Je me mordis la langue.

– J'ai dit que je discutais avec *Vur Horston*, observa Steve, un mince sourire aux lèvres. Si tu n'étais pas là, comment sais-tu que Vur Horston et Larten Krapula ne sont qu'une seule et même personne ?

Mes épaules s'affaissèrent. Je m'assis sur le lit à côté de lui.

– D'accord. Je le reconnais, j'étais au balcon, avouai-je. J'ai pratiquement tout vu, tout entendu.

– C'est donc pour ça que tu m'évitais, soupira Steve. Parce qu'il a dit que j'étais maudit !

– Pas seulement. C'est surtout à cause de ce que tu lui *as demandé*, Steve. Tu voulais qu'il te transforme en vampire ! Et s'il l'avait fait, et que tu te sois retourné contre moi ? La plupart des vampires s'en prennent à des gens qu'ils connaissent, non ?

– Dans les livres et les films, sans doute. Mais ceci est différent. Ceci est la vraie vie. Je ne te ferais jamais de mal, Darren.

– Peut-être que non, peut-être que oui, dis-je. Le problème, c'est que je n'ai pas envie de le découvrir. Je ne veux plus être ton ami, Steve. Tu pourrais être dangereux. Et si tu rencontrais un autre vampire qui acceptait d'exaucer ton désir ? Et si M. Krapula avait raison, et que tu étais vraiment maudit ?

– Je ne suis pas maudit !

Il me renversa brutalement sur le lit et me coinça de tout son poids, le poing levé.

– Retire ça ! rugit-il. Retire ça tout de suite ! Sinon, je t'écrabouille la figure à coups de poing !

– Je retire ! Je retire ! m'étranglai-je, affolé par ce soudain accès de violence.

Steve pesait lourd sur moi, il m'étouffait à moitié. Son visage était rouge de fureur. J'aurais donné n'importe quoi pour me débarrasser de lui. Il resta ainsi quelques secondes, puis se remit debout avec un grognement. Je me redressai sur mon séant, étourdi et haletant.

– Désolé, marmonna-t-il. C'était une réaction exagérée. Mais je suis vexé. Ça m'a fait mal, ce que m'a dit M. Krapula, et aussi le fait que tu m'ignorais à l'école. Tu es mon meilleur ami, Darren, la seule personne à qui je peux vraiment parler. Si tu brises notre amitié, je ne sais pas ce que je ferai.

Il se mit à pleurer. Je le regardai un instant, partagé entre l'effroi et la sympathie. Puis mon côté le plus noble prit le dessus, et je passai mon bras autour de son épaule.

– Ne pleure pas, Steve. Je suis toujours ton ami. Je t'en prie, arrête de pleurer, tu veux bien ?

Il fit visiblement un effort, mais il fallut un moment pour que ses larmes cessent de couler.

– Je dois avoir l'air d'un idiot, murmura-t-il enfin. Il renifla.

– Non, dis-je. L'idiot, c'est moi. Je n'aurais pas dû te laisser tomber comme ça. Je suis un trouillard. Je n'ai même pas essayé de me mettre à ta place, de comprendre ce que tu devais ressentir. Je ne pensais qu'à moi et à Madame...

Je fis la grimace et m'interrompis.

Steve me regardait avec curiosité.

– Qu'est-ce que tu allais dire ? demanda-t-il.

– Rien, dis-je. Ma langue a fourché...

– Tu ne sais pas mentir, Shan. Tu n'as jamais su. Dis-moi ce qui a failli t'échapper.

J'examinai son visage, me demandant s'il fallait me confier à lui. Je savais que je n'aurais pas dû, que ça ne m'attirerait que des ennuis, mais je me sentais navré pour Steve et j'avais besoin de parler à quelqu'un – besoin de montrer ma merveilleuse tarentule et les grands numéros que nous pouvions exécuter ensemble.

– Tu peux garder un secret ? chuchotai-je.

– Bien sûr !

– Celui-là est énorme. Tu n'en parles à personne, d'accord ? Il faut que ça reste entre nous. Si jamais tu en parles...

– Tu raconteras aux copains tout ce qui s'est passé entre moi et M. Krapula, acheva Steve avec un rictus. Tu me tiens, Shan. Quoi que tu me révèles, tu sais que je ne pourrais pas cafter, même si je le voulais. Alors, c'est quoi, ce grand secret ?

– Attends une minute.

Je sautai du lit et allai entrouvrir la porte de ma chambre.

– Maman ? criai-je.

– Oui ? répondit une voix étouffée.

– Je montre ma flûte à Steve ! Je vais lui apprendre à jouer, mais on ne veut pas être dérangés, d'accord ?

- D'accord !

Je refermai la porte et souris à Steve. Il avait l'air perplexe.

– Une flûte? Ton grand secret est une flûte?

– Elle en fait partie. Écoute, tu te souviens de Madame Octa? L'araignée de M. Krapula?

– Et comment! Personne ne pourrait oublier une créature pareille. Ces pattes velues! Brrr...

Pendant qu'il parlait, j'avais ouvert la porte de la penderie et en sortis la cage. Il fronça d'abord les sourcils, puis ses yeux s'agrandirent.

– Ce n'est pas ce que je pense, n'est-ce pas?

– Ça dépend, dis-je en retirant l'étoffe. Si tu penses que c'est une araignée mortelle capable d'accomplir des tours savants... tu es dans le vrai!

– Bonté divine! s'exclama-t-il.

La stupeur se lisait sur ses traits.

– C'est une... Mais où as-tu... *Ouaouh!*

Sa réaction m'enchanta. Je me penchai sur la cage, souriant comme un père orgueilleux. Madame Octa était tassée au centre, plus silencieuse que jamais, n'accordant pas le moindre intérêt à Steve ou à moi-même.

– Elle est affreuse! déclara Steve en s'approchant pour mieux la regarder. Elle ressemble comme deux gouttes d'eau à celle du Cirque des Horreurs! Où l'as-tu dénichée?

Mon sourire se figea quelque peu.

– Au Cirque des Horreurs, bien sûr, répondis-je, plutôt mal à l'aise.

– Comment ça, au Cirque des Horreurs? Ils vendaient des araignées vivantes? Je n'ai rien vu. Combien l'as-tu payée?

– Je ne l'ai pas achetée, Steve. Je... Tu ne devines pas? Tu n'as pas compris?

– Compris quoi ?

– Ce n'est pas une araignée qui *ressemble* à celle du Cirque des Horreurs, dis-je. C'est la *même*. C'est Madame Octa.

Il me regarda comme s'il avait mal entendu. Je m'apprêtais à répéter les mots, mais il parla avant moi.

– L-la même ? fit-il d'une voix rauque et tremblante.

– Oui.

– Tu veux dire... que c'est... Madame Octa ? *La* Madame Octa ?

– Oui ! Ma parole, Steve, combien de fois faut-il...

– Une minute ! interrompit-il. S'il s'agit vraiment de Madame Octa, comment as-tu mis la main dessus ? Ils te l'ont vendue ?

– Personne ne vendrait une araignée aussi géniale, tu le sais bien.

– Ouais, c'est aussi ce que je pensais. Mais alors, comment as-tu...

Il laissa la question en suspens.

– Je l'ai volée, dis-je en me rengorgeant fièrement. Je suis retourné au théâtre au petit matin, je me suis faufilé dans le sous-sol. J'ai trouvé l'araignée, je l'ai fauchée et je suis reparti avec. J'ai laissé un mot à M. Krapula lui interdisant de venir la chercher, sans quoi je le dénoncerais à la police.

– Tu... Tu... hoqueta Steve.

Son visage était devenu tout blanc, il avait l'air sur le point de tourner de l'œil.

– Ça ne va pas ? m'inquiétai-je.

– Espèce d'imbécile ! s'écria-t-il. Pauvre fou ! Est-ce que tu comprends ce que tu as fait ? As-tu idée du pétrin dans lequel tu t'es fourré ?

– Hein ? fis-je, déconcerté.

– Tu as volé l'araignée d'un vampire ! Tu as pris le bien d'un mort vivant ! Que crois-tu qu'il va faire quand il te rattrapera, Darren ? Te donner une fessée et cinquante lignes à copier ? Tout rapporter à tes parents et leur demander de te punir ? Non ! Il s'agit d'un *vampire* ! Il t'arrachera la gorge. Il te saignera à blanc. Il te mettra en pièces et...

– Impossible, affirmai-je calmement. Il ne me trouvera pas. J'ai volé l'araignée il y a deux semaines, et je n'ai aucun signe de lui. Il est reparti avec le cirque et ne reviendra pas de sitôt, en tout cas pas s'il sait où est son intérêt.

– Les vampires ont de la mémoire. M. Krapula pourra revenir quand tu auras grandi, quand tu auras des enfants à toi...

– Je m'inquiéterai de ça en temps voulu. Pour le moment, je suis tiré d'affaire. Je n'étais pas sûr que ça se passerait aussi bien – je pensais qu'il allait peut-être me retrouver et me tuer – mais il n'en a rien fait. Alors, ne me traite plus d'imbécile et de fou, d'accord ?

Il se mit à rire malgré lui.

– Tu m'épates, Darren ! Je pensais que j'avais une certaine audace, mais voler un vampire ! Je ne t'aurais jamais cru gonflé à ce point. Qu'est-ce qui t'a donné cette idée ?

– Il me fallait cette araignée, avouai-je. Après l'avoir vue sur scène, j'ai compris que j'étais prêt à tout pour l'avoir. Et quand j'ai découvert que M. Krapula était un vampire, je me suis dit que je pouvais le faire chanter. J'ai mal agi, je le sais, mais voler quelqu'un de mauvais, c'est en quelque sorte une bonne action, non ?

Steve rit de plus belle.

– Je ne sais pas si c'est bien ou mal, déclara-t-il. Tout ce que je sais, c'est que si jamais il se met à ta recherche, je n'aimerais pas être dans tes chaussettes !

Il étudia de nouveau l'araignée. Il rapprocha son visage de la cage (mais pas assez près pour qu'elle le pique) et regarda son ventre se gonfler à un rythme régulier.

– Tu l'as déjà laissée sortir de sa cage ? demanda-t-il.

– Tous les jours.

Je pris la flûte et soufflai une note. Madame Octa exécuta un petit bond de quelques centimètres. Steve poussa un cri et tomba en arrière, sur les fesses. Je hurlai de rire.

– Tu la contrôles ! s'exclama-t-il, ébahi.

– Je peux lui faire faire tout ce que M. Krapula lui faisait faire, dis-je en essayant de ne pas avoir l'air trop vantard. C'est très facile. Elle est parfaitement inoffensive tant que tu te concentres. Mais si tu laisses tes pensées s'égarer une seconde...

Je me passai l'index en travers de la gorge et j'émis un « couic » étranglé.

– Tu l'as laissée te grimper dessus ? interrogea Steve, les yeux brillants.

– Oui. Ça m'a terrifié, au début, mais tout s'est bien passé.

Il se leva et battit des mains.

– À moi ! C'est mon tour. Tu vas m'apprendre à me servir de ta flûte magique, et j'essaierai de lui faire faire quelque chose. Elle ne me fait pas peur ! Allez, viens. Montre-moi, montre-moi, MONTRE-MOI !

Impossible d'ignorer un tel enthousiasme. Je savais qu'il n'était pas très raisonnable de mettre si vite Steve en contact avec l'araignée – j'aurais dû m'assurer qu'il la connaissait mieux – mais j'en oubliai mon bon sens et cédai en partie à son caprice.

Il reconnut volontiers qu'il n'apprendrait pas à jouer de la flûte en une séance ; et j'acceptai alors de le laisser s'amuser avec Madame Octa pendant que *moi*, je la contrôlerais. Je lui expliquai en détail tous les tours que nous ferions exécuter à l'araignée, et m'assurai qu'il avait bien compris.

– Garder le silence est vital, recommandai-je. Ne dis rien. Tâche de ne pas siffler d'admiration. Parce que si tu distrais mon attention et si je perds le contrôle...

– Ouais, ouais, je sais, soupira Steve. Ne t'inquiète pas. Je peux être aussi discret qu'une souris quand je veux...

Lorsque nous fûmes prêts, je déverrouillai la cage et me mis à jouer. Madame Octa s'avança sur mon ordre. J'entendis Steve retenir sa respiration, un peu effrayé tout de même à présent qu'elle était à l'air libre, mais il ne manifesta pas le désir de vouloir arrêter l'expérience. Je continuai à jouer, et l'araignée se lança dans ses exercices routiniers.

Je lui fis exécuter des tas de tours toute seule avant de la laisser s'approcher de mon ami. Au cours de la semaine écoulée, nous avions développé une grande compréhension mutuelle. Elle s'était familiarisée avec mon esprit, ma façon de penser, et savait obéir à mes ordres presque avant que j'aie fini de les émettre. De mon côté, j'avais découvert qu'elle pouvait agir à partir des instructions les plus brèves : il me suffisait de penser quelques mots pour la voir entrer en action.

Steve regarda le spectacle dans un mutisme total. Il faillit applaudir à plusieurs reprises, mais je l'arrêtai à temps d'un froncement de sourcils. Pour témoigner son enthousiasme, il utilisa bientôt le signe « pouce en l'air » tout en articulant silencieusement des mots comme « génial », « super », etc.

Quand vint le moment pour lui de participer au numéro, je lui adressai le petit hochement de tête dont nous étions convenus. Il avala sa salive, respira un bon coup et hocha la tête à son tour. Puis il se leva et s'avança, se déplaçant latéralement dans mon champ de vision afin de ne pas me cacher Madame Octa. Il s'agenouilla et attendit.

Je jouai un petit air et envoyai une série d'ordres inédits. Madame Octa m'écouta, immobile. Dès qu'elle sut ce que je voulais, elle se mit à ramper vers Steve. Je le vis frissonner et s'humecter les lèvres. J'allais annuler le numéro et renvoyer l'araignée dans sa cage, mais il parut se maîtriser, et son calme apparent m'incita à poursuivre.

Il eut un autre petit frisson quand elle monta sur la jambe de son pantalon – une réaction naturelle que je connaissais bien, car je l'avais toujours moi-même lorsque je sentais les pattes de l'araignée se promener sur ma peau ou mes vêtements.

J'ordonnai à Madame Octa de grimper le long de sa nuque et d'aller lui chatouiller les oreilles. Il gloussa doucement et les dernières traces de sa peur s'évanouirent. Je me sentais plus sûr de moi à présent, et je fis faire à l'araignée le tour de son visage, après quoi je lui demandai de se suspendre par un fil au bout de son nez.

Steve appréciait beaucoup, et moi aussi. Il y avait des tas de perspectives qui s'ouvraient à moi, maintenant que j'avais un partenaire.

Madame Octa était sur son épaule droite et s'apprêtait à descendre le long de son bras quand la porte s'ouvrit. Annie entra dans la pièce.

– Hé, Darren, où est passé mon...

Elle s'arrêta au milieu de sa phrase. Elle vit Steve et la monstrueuse araignée sur son épaule, avec ses crochets luisants. Et elle fit la chose qui s'imposait.

Elle hurla.

Son cri me fit sursauter. Je tournai la tête, la flûte glissa hors de mes lèvres, ma concentration s'envola. Mon lien avec Madame Octa se désintégra, et l'araignée secoua son corps comme si elle s'ébrouait. Elle effectua quelques petits pas en direction de la gorge de Steve, montra de nouveau ses crochets et parut sourire vicieusement.

Steve émit un rugissement d'effroi et bondit sur ses pieds. Il essaya de balayer l'araignée d'un revers de la main, mais elle l'évita prestement en glissant sur le côté. Avant qu'il ne puisse essayer de nouveau, Madame Octa chargea, vive comme un serpent, et lui planta ses crochets à venin dans le cou !

21

Dès que l'araignée l'eut piqué, Steve se raidit, et ses yeux devinrent fixes. Il vacilla pendant ce qui me parut une éternité (mais qui ne dura qu'un bref instant), puis s'écroula comme une poupée de chiffon.

C'est ce qui le sauva. Comme avec la chèvre du Cirque des Horreurs, la première piqûre de Madame Octa ne l'avait pas tué, mais fait sombrer dans l'inconscience. Je vis la tarentule se déplacer le long de son cou juste avant qu'il ne tombe, cherchant l'endroit adéquat pour la deuxième piqûre – celle de la mort.

La chute de Steve la troubla. Elle sauta à terre, et il lui fallut quelques secondes pour regrimper sur sa nuque.

Ces secondes me suffirent.

Bien qu'en état de choc, j'eus la présence d'esprit de saisir la flûte et de souffler dedans de toutes mes forces. Une note assourdissante déchira l'atmosphère.

« ARRÊTE ! » hurlai-je dans ma tête.

Madame Octa fit un bond d'un mètre dans l'air.

« Retourne dans ta cage ! »

Elle s'éloigna à toute allure du corps étendu sur le plancher et franchit la porte de sa cage. Je plongeai en avant et fermai celle-ci.

Madame Octa ainsi neutralisée, je reportai mon attention sur Steve. Annie était restée figée, comme hébétée, mais je m'occuperais d'elle plus tard. Je m'agenouillai près de mon ami, me penchai vers son oreille.

– Steve ? Tu m'entends, Steve ?

Pas de réponse. Il respirait toujours, et je sus donc qu'il était vivant, sans plus. Il ne pouvait ni parler ni bouger les bras. Il ne pouvait même pas cligner des yeux.

J'eus conscience qu'Annie se rapprochait de moi. Elle tremblait comme une feuille.

– Il... il est... il est mort ? demanda-t-elle d'une toute petite voix.

– Bien sûr que non ! protestai-je. Tu vois bien qu'il respire. Regarde sa poitrine se soulever !

– Mais... pourquoi ne bouge-t-il pas ?

– Il est paralysé, expliquai-je. L'araignée lui a injecté un poison qui empêche ses membres de bouger. C'est un peu comme une anesthésie, sauf que son esprit est encore actif et qu'il peut tout voir et tout entendre.

J'ignorais si c'était vrai, mais je l'espérais. Si le poison avait épargné les poumons et le cœur, il avait peut être aussi épargné le cerveau. Mais dans le cas contraire...

Cette perspective était trop terrible pour être envisagée.

— Steve, je vais t'aider à te relever, dis-je. Je crois que si on arrive à te faire bouger, les effets du poison se dissiperont.

Je glissai un bras autour de sa taille et le mis debout. Il était très lourd. Je le traînai autour de la pièce sans cesser de lui parler, de lui répéter que tout irait bien, qu'il n'y avait pas assez de poison dans une piqûre pour le tuer, qu'il allait se remettre.

Au bout de dix minutes de ce manège, je n'avais constaté aucun changement dans son état, et j'étais épuisé de le soutenir. Je le laissai tomber sur le lit. Ses paupières ouvertes lui donnaient un regard bizarre qui me faisait un peu peur, c'est pourquoi je les fermai ; mais alors il eut l'air d'un cadavre, et je les rouvris.

— Tu crois qu'il va s'en remettre ? interrogea Annie.

— Bien sûr, affirmai-je, essayant d'être positif. L'effet du poison va se dissiper peu à peu. Ce n'est qu'une question de temps.

Je ne pense pas qu'elle me crut, mais elle n'ajouta rien, se contenta de s'asseoir au bord du lit et de surveiller le visage de Steve, en quête d'une réaction. Je commençais à me demander pourquoi Maman n'était pas montée voir ce qui se passait. Je sortis sur le palier et tendis l'oreille. Du rez-de-chaussée me parvenait le grondement sourd de la machine à laver, dans la cuisine. Ça expliquait tout : notre machine à laver est un vieux coucou particulièrement bruyant.

Annie n'était plus assise sur le lit quand je revins. Elle étudiait Madame Octa, accroupie devant sa cage.

— C'est l'araignée de la parade des monstres, n'est-ce pas ? demanda-t-elle.

Je hochai la tête.

— Comment l'as-tu eue ?

— Ça n'a pas d'importance, répondis-je en rougissant.

— Mais comment est-elle sortie de sa cage ?

— Je l'ai libérée.

— Tu as fait *quoi* ?

— Ce n'était pas la première fois, Annie. J'ai cette araignée depuis près de deux semaines maintenant, et je joue souvent avec elle. C'est sans danger tant qu'on ne fait pas de bruit. Si tu n'étais pas entrée dans ma chambre au pas de charge, elle n'aurait pas...

— Ah, non ! s'écria-t-elle. Tu ne vas pas me rendre responsable, ce serait trop commode ! Et d'abord, pourquoi ne m'en as-tu pas parlé ? Si j'avais su, je ne serais pas entrée comme ça sans prévenir !

— J'allais le faire tôt ou tard. J'attendais seulement d'être prêt. Et puis Steve est venu me voir et...

Je ne pus continuer. J'allais remettre la cage au fond de ma penderie pour ne plus voir Madame Octa. Puis je me rassis sur le lit, où Annie vint me rejoindre, et nous étudiâmes en silence la forme inerte de Steve. Nous restâmes ainsi pendant un long, très long moment.

— Je ne crois pas qu'il s'en remettra, déclara enfin Annie.

— Donnons-lui un peu plus de temps.

– S'il était sur le point de récupérer, il devrait bouger, maintenant.

– Qu'est-ce que tu en sais ? rétorquai-je, en colère malgré moi. Tu es une enfant ! Tu ne sais rien !

– C'est vrai, opina-t-elle. Mais tu n'en sais pas plus que moi là-dessus, pas vrai ?

Elle posa la main sur mon bras et sourit bravement pour montrer qu'elle n'essayait pas de me culpabiliser.

– Nous devrions en parler à Maman, Darren. Appelons-la. Je crois qu'il faut emmener Steve à l'hôpital.

Elle avait raison, bien sûr. J'y pensais depuis le début. Mais j'hésitais à l'admettre.

– Accordons-lui encore un quart d'heure, suggérai-je. S'il n'a pas bougé d'ici là, nous l'appellerons.

– Un quart d'heure ?

– Pas une minute de plus.

– D'accord, dit-elle.

Tout en continuant d'observer mon ami, je pensai à Madame Octa et me demandai comment j'allais expliquer sa présence à Maman. Et aux médecins. Et à la *police* ! Me croirait-on quand je révélerais que M. Krapula était un vampire ? J'en doutais. Les policiers me traiteraient de menteur. Ils me jetteraient en prison. Ils diraient peut-être que j'avais tout manigancé. Ils pouvaient m'accuser de tentative de meurtre et m'enfermer !

Je consultai ma montre. Encore trois minutes. Aucun signe de vie chez Steve.

– Annie, je dois te demander un service, murmurai-je.

Elle me regarda d'un air méfiant.

– Lequel?

– Ne dis pas un mot sur Madame Octa.

– Tu es fou? se récria-t-elle. Comment vas-tu expliquer ce qui s'est passé?

– Je n'en sais rien. Je raconterai que je n'étais pas dans la pièce. Les marques de piqûre sont minuscules comme des piqûres d'abeille, et elles commencent à se résorber. Les médecins ne les remarqueront peut-être même pas.

– On ne peut pas faire ça, objecta Annie. Ils auront sans doute besoin d'examiner l'araignée. Ils voudront...

– Annie, interrompis-je doucement, si Steve meurt, on dira que je l'ai tué. Il y a des choses dans cette histoire dont je ne peux pas te parler, dont je ne peux parler à personne. Mais ce qui est sûr, c'est que si le pire se produit, c'est moi qui porterai le chapeau. Tu sais ce qu'on fait aux meurtriers?

– Tu es trop jeune pour être jugé pour meurtre, dit-elle, mal à l'aise.

– Non, tu te trompes. Je suis trop jeune pour aller dans une vraie prison, mais ils ont des bâtiments spéciaux où on enferme les enfants. Ils me garderont dans une de ces boîtes jusqu'à ce que j'aie dix-huit ans, et ensuite... S'il te plaît, Annie. Je refuse d'être enfermé dans une cellule.

Je me mis à pleurer. Aussitôt, Annie pleura elle aussi. Nous nous accrochâmes l'un à l'autre, sanglotant comme des bébés.

– Je ne veux pas qu'ils t'emmènent, hoqueta-t-elle. Je ne veux pas te perdre.

– Alors, tu promets de garder le silence ? Tu acceptes de retourner dans ta chambre et de faire comme si tu n'étais au courant de rien ?

Elle acquiesça tristement, mais rectifia néanmoins :

– Si on s'aperçoit que la vérité peut le sauver, si les médecins se déclarent incapables de le ranimer à moins de découvrir ce qui l'a piqué, *je dis tout*. D'accord ?

– D'accord.

Elle se leva et se dirigea vers la porte. À mi-chemin, elle s'arrêta, revint vers moi et m'embrassa sur le front.

– Je t'adore, Darren, soupira-t-elle, mais laisser entrer cette araignée dans la maison, c'était de la folie ; et si Steve en meurt, tu mériteras de *payer* pour ça.

Puis elle sortit de la chambre sans pouvoir retenir ses larmes.

J'attendis encore quelques minutes, étreignant la main de Steve, le suppliant de revenir à lui, de montrer un signe de vie. Et quand j'eus la certitude que mes prières ne seraient pas exaucées, j'allai ouvrir la fenêtre (pour expliquer comment le mystérieux attaquant était entré), respirai un bon coup, et me ruai dans l'escalier en appelant Maman à tue-tête.

22

Les ambulanciers demandèrent à Maman si Steve était diabétique ou épileptique. Elle ne le pensait pas, mais n'en était pas sûre. Ils l'interrogèrent également sur ses éventuelles allergies et tout le reste, mais elle expliqua qu'elle n'était pas sa mère et ignorait tout de son état de santé.

Je pensais qu'ils nous emmèneraient avec eux en ambulance, mais ils déclarèrent qu'il n'y avait pas de place. Je leur donnai le numéro de téléphone de Steve et le nom de sa mère, qui n'était pas chez elle. Un des ambulanciers demanda à Maman si elle voulait bien les suivre en voiture jusqu'à l'hôpital, et remplir un minimum de formalités pour qu'on puisse commencer à le soigner. Elle accepta, et nous grimpâmes dans la voiture avec elle. Papa n'étant pas encore rentré, elle l'appela sur son portable pour lui expliquer la situation. Il répondit qu'il nous rejoindrait sitôt que possible.

Le trajet fut sinistre. Assis sur la banquette arrière, j'évitais le regard d'Annie, sachant que j'aurais dû dire la vérité, mais trop effrayé pour le faire. Ce qui rendait les choses encore plus pénibles, c'était ma conviction que si les rôles avaient été inversés, Steve n'aurait pas hésité une seconde à tout avouer.

— Qu'est-ce qui s'est passé, dans ta chambre ? me demanda Maman par-dessus son épaule.

Elle conduisait à la limite de la vitesse autorisée, de sorte qu'elle ne pouvait me regarder que brièvement. Ça valait mieux pour moi ; les yeux dans les yeux, je n'aurais pas pu lui mentir.

— Je n'en sais rien, répondis-je. On bavardait, et puis j'ai eu envie d'aller aux toilettes. Quand je suis revenu...

— Tu n'as rien vu ?

— Non, mentis-je.

Et je sentis le rouge de la honte envahir mes oreilles.

— Je crois que quelque chose l'a piqué, intervint Annie.

Je faillis lui donner un bon coup dans les côtes, puis me rappelai à la dernière seconde que j'avais besoin de son aide pour garder le secret.

— Piqué ? répéta Maman.

— Il y avait deux petits points rouges sur son cou.

— Oui, j'ai remarqué, dit Maman. Mais je ne pense pas que ce soit ça, chérie.

— Pourquoi ? releva Annie. Si un serpent ou une... *araignée* est entrée dans la chambre...

Elle me regarda à la dérobée et rougit un peu. Je ~ompris qu'elle n'avait pas oublié sa promesse.

– Une araignée ?

Maman secoua la tête.

– Non, chérie, les araignées n'expédient pas les gens dans le coma, en tout cas pas chez nous.

– Alors c'est quoi, à ton avis, Maman ?

– Je n'en suis pas sûre. Peut-être qu'il a mangé quelque chose qui l'a empoisonné, ou qu'il a fait une crise cardiaque.

– Les enfants ne font pas de crises cardiaques ! rétorqua Annie.

– Tu te trompes, dit Maman. C'est rare, mais ça arrive. De toute façon, les docteurs sauront bien ce qu'il a. Ils en savent plus que nous sur ces choses-là.

N'ayant pas l'habitude des hôpitaux, je pris le temps de regarder autour de moi pendant que Maman remplissait les papiers d'admission. C'était l'endroit le plus blanc que j'eusse jamais vu : murs blancs, sols carrelés de blanc, uniformes blancs. Il n'y avait pas beaucoup de monde, mais on percevait l'activité ambiante : grincements de sommiers, quintes de toux, ronronnements de machines, conversations à voix basse entre médecins et personnel soignant.

Je m'assis sur un banc à côté d'Annie et Maman nous rejoignit bientôt. Elle nous expliqua qu'on avait attribué une chambre à Steve et qu'on était en train de l'examiner, mais qu'il s'écoulerait un certain temps avant qu'on ne découvre ce qui n'allait pas.

– J'ai parlé à un médecin. Il avait l'air optimiste, conclut-elle.

Annie avait soif ; Maman nous expédia vers le distributeur de sodas, dans le hall.

– Combien de temps vas-tu attendre ? me souffla Annie.

– Jusqu'à ce que les médecins donnent leur avis. Laissons-les faire leur travail. Avec un peu de chance, ils identifieront le venin et pourront le neutraliser.

– Et s'ils ne peuvent pas ?

– Alors, je dirai tout, promis-je.

– Et s'il meurt avant ça ?

– Il ne mourra pas.

– Mais s'il...

– Il ne mourra pas ! répétai-je d'un ton cassant. Ne parle pas comme ça. Tu ne devrais même pas penser comme ça. Maman et Papa disent toujours que quand on est malade, les pensées optimistes favorisent la guérison... Steve a besoin qu'on croie qu'il va guérir.

– Il a surtout besoin que tu passes aux aveux, répliqua Annie.

Mais elle n'insista pas. On prit nos canettes de soda et on retourna les siroter en silence sur notre banc.

Papa arriva peu après, encore en bleu de travail. Il embrassa Maman et Annie, et m'étreignit l'épaule d'une main tachée de cambouis.

– Des nouvelles ? interrogea-t-il.

– Aucune, répondit Maman. Ils sont en train de l'examiner. Il peut se passer des heures avant qu'on apprenne quoi que ce soit.

– Que lui est-il arrivé, Angela ?

– Nous ne le savons pas encore. Attendons, et nous verrons bien.

– Je déteste attendre, grommela-t-il.

Mais comme il n'avait pas le choix, il fut obligé de faire comme nous. Rien de spécial ne se produisit pendant l'heure suivante – jusqu'à l'arrivée de la maman de Steve. Son visage était aussi blanc que le décor ambiant, et ses lèvres pincées. Elle fonça tout droit sur moi, me prit par les épaules et me secoua brutalement.

– Qu'est-ce que tu lui as fait? hurla-t-elle. Qu'as-tu fait à mon fils? Tu as tué mon Steve?

– Hé! Arrêtez ça! s'écria Papa, abasourdi.

La mère de Steve l'ignora.

– Qu'est-ce que tu as fait? continua-t-elle de brailler tout en me secouant de plus belle.

Je tentais de répondre « rien », mais j'avais les dents qui s'entrechoquaient.

– Qu'as-tu fait? Qu'as-tu fait?

Elle me relâcha subitement et s'effondra par terre, contre le banc, où elle se mit à sangloter.

Maman se leva et se pencha sur Mme Léonard. Elle lui caressa la tête et lui chuchota des mots de réconfort, puis l'aida à se relever et la fit asseoir à ses côtés. Entre deux sanglots, Mme Léonard s'accusait d'être une mauvaise mère et déplorait que Steve la déteste.

– Les enfants, allez donc faire un tour dehors, nous suggéra Maman.

Nous nous éloignâmes.

– Darren, attends!

Maman me rattrapa, me glissa à l'oreille :

– Ne fais pas attention à ce qu'elle dit. Elle ne te reproche rien. Elle a peur, c'est tout.

Je hochai la tête, accablé. Comment Maman aurait-elle pu se douter que Mme Léonard avait raison, et que je méritais ses reproches ?

Nous allâmes nous promener sous l'arcade qui fait le tour du jardin de l'hôpital et nous y restâmes un bon moment. Quand on retourna à notre banc, Mme Léonard, à présent calmée, remplissait des papiers à la réception, Maman à ses côtés. On reprit notre place, et l'attente interminable recommença.

Annie se mit à bâiller vers dix heures, et je l'imitai peu après. Maman nous regarda tous les deux et demanda à Papa de nous ramener à la maison. Je commençai à protester, mais elle me fit taire.

— Vous n'êtes d'aucune utilité, ici, Darren. Je téléphonerai dès que j'apprendrai quelque chose, même si c'est en pleine nuit. D'accord ?

J'hésitai. Ma dernière chance de parler de l'araignée s'envolait. Je faillis tout avouer, mais j'étais fatigué et ne trouvais pas les mots.

— D'accord, dis-je tristement.

Papa nous conduisit donc à la maison. Je me demandai quelle serait sa réaction si je me confessais à lui. Il me punirait, certes, mais ce n'est pas pour cette raison que je gardai le silence. Je me tus parce que je savais qu'il aurait honte de moi, honte d'apprendre que j'avais menti et fait passer mes propres intérêts avant la sécurité de Steve. Je craignais qu'il ne m'aime plus.

Annie dormait quand nous arrivâmes à la maison. Papa la souleva dans ses bras et la mit au lit. Je n'arrêtais pas de me maudire intérieurement.

Papa vint jeter un coup d'œil dans ma chambre au moment où je pliais mes vêtements.

– Ça va, fiston? me demanda-t-il.

Je hochai la tête.

– Steve va s'en remettre, tu sais, dit-il. J'en suis sûr. Les médecins connaissent leur boulot. Ils le ranimeront.

Je hochai de nouveau la tête, au bord des larmes, n'osant plus parler. Papa resta un moment dans l'embrasure de la porte, puis soupira et tourna les talons. Je l'entendis descendre dans la bibliothèque.

Je suspendais mon pantalon dans la penderie quand mon regard se posa sur la cage de Madame Octa. Lentement, je la soulevai. L'araignée était tapie au milieu, plus calme que jamais.

Je me mis à la haïr. Elle était intelligente, certes, mais laide, velue, et mauvaise. C'était elle la vraie coupable, la traîtresse, celle qui avait piqué Steve sans raison. Je l'avais nourrie, je m'étais occupé d'elle, j'avais joué avec elle. Et voilà comment elle me remerciait.

– Espèce de monstre, fulminai-je. Espèce de monstre ingrat!

Je secouai la cage. Ses pattes agrippèrent les barreaux. Cela ne fit qu'accroître ma colère et j'agitai brutalement la cage dans tous les sens, tentant de lui faire lâcher prise, espérant la blesser. Je souhaitais sa mort, et je déplorais aussi mon manque de courage qui m'empêchait de l'écraser à coups de talon.

Finalement, ma fureur atteignit son comble et je balançai la cage loin de moi, aussi loin que possible.

J'avais agi aveuglément, et je fus effrayé quand je la vis passer par la fenêtre ouverte et disparaître dans la nuit.

Je bondis vers la fenêtre. Il était trop tard pour rattraper la cage au vol.

Celle-ci était légère et donnait l'impression de flotter en tombant. Juste au moment où elle allait toucher terre, une main surgit des ténèbres et la rattrapa.

Une main ?

Je me penchai vivement. La nuit était noire, et j'eus du mal à distinguer la silhouette postée au-dessous de moi. Puis elle fit un pas en avant, et la lumière de ma chambre me révéla son identité.

D'abord, je vis ses mains ridées qui tenaient la cage. Puis sa longue redingote pourpre, sa tignasse orange, cette affreuse balafre en travers de travers sa joue... et pour finir, son rictus narquois. C'était M. Krapula. Le vampire.

Il me dévisageait en souriant !

23

Je restai figé à la fenêtre, m'attendant à voir M. Krapula se transformer en chauve-souris et voler vers moi, mais il ne fit qu'agiter doucement la cage de Madame Octa pour s'assurer qu'elle n'était pas blessée. Puis, toujours souriant, il tourna les talons et s'éloigna. En quelques secondes, la nuit l'engloutit littéralement, le dérobant à ma vue.

Je fermai la fenêtre et me glissai sous mes draps, le cerveau en ébullition. Depuis combien de temps guettait-il dans le jardin ? S'il savait où se trouvait Madame Octa, pourquoi ne l'avait-il pas récupérée avant ce soir ? Pourquoi semblait-il amusé plutôt que furieux ? Pourquoi ne m'avait-il pas « saigné à blanc », comme disait Steve ?

Impossible de dormir. J'étais plus terrifié maintenant qu'en allant voler cette maudite araignée. J'avais toujours cru qu'il ne me retrouverait jamais.

J'envisageai d'aller parler à Papa. Après tout, un

vampire qui avait pour ainsi dire une dent contre moi connaissait notre adresse. Papa avait le droit de savoir. Il fallait lui donner une chance de préparer notre défense. Mais...

Il ne me croirait pas. Surtout maintenant que Madame Octa n'était plus là pour étayer mes dires. Je me voyais essayer de le convaincre que les vampires existaient vraiment, que l'un d'eux s'était aventuré sous ma fenêtre et risquait de revenir. Il me prendrait pour un timbré.

Je parvins à somnoler un peu quand l'aube se leva, parce que je savais qu'un vampire ne passait jamais à l'attaque avant le coucher du soleil. Quoique trop bref, ce moment de repos me fit néanmoins du bien, et je fus capable de penser clairement en m'éveillant. Je compris que je n'avais pas besoin d'avoir peur. Si le vampire avait voulu me tuer, il l'aurait fait la nuit dernière, quand je n'étais pas préparé à le voir. Pour une raison que j'ignorais, il ne voulait pas me voir mort, en tout cas pas encore.

Débarrassé de cette inquiétude, je pouvais me concentrer sur mon vrai problème, à savoir : devais-je révéler ou non la vérité. Maman n'était pas rentrée de l'hôpital. Elle avait passé la nuit à soutenir Mme Léonard, et à téléphoner à la ronde pour informer les amis et voisins de l'état alarmant de Steve. Si elle était restée à la maison, je me serais confié à elle. Mais l'idée de tout avouer à Papa me remplissait d'effroi.

Notre maison fut des plus silencieuses, ce dimanche-là. Papa nous fit des œufs et des saucisses au petit déjeuner, et il les brûla comme d'habitude quand c'est lui qui s'occupe de la cuisine, mais on ne se plaignit même pas. Je percevais à peine le goût de la nourriture en l'avalant. Je n'avais pas faim.

Maman téléphona comme nous étions encore à table. Elle parla longtemps à Papa. Il ne répondait rien, mais hochait la tête et grognait. Annie et moi ne bougions pas, essayant d'entendre ce qui se disait, en vain. La conversation terminée, Papa raccrocha et vint se rasseoir.

– Comment va-t-il ? demandai-je.

– Pas bien, répondit-il. Les médecins ne savent que penser. Il semble qu'Annie ait raison : c'est bien du venin. Sauf que ce venin leur est totalement inconnu. Ils ont envoyé des échantillons à des experts dans d'autres hôpitaux, et espèrent que l'un d'eux en saura peut-être davantage. Mais...

Il secoua la tête.

– Est-ce qu'il va mourir ? intervint Annie.

– Peut-être, dit Papa avec franchise.

Je lui fus reconnaissant de cette réaction. Trop souvent, les adultes mentent aux enfants sur des sujets sérieux. Je préfère qu'on me dise la vérité, même à propos de la mort.

Annie se mit à pleurer. Papa la prit dans ses bras et la percha sur ses genoux.

– Allons, allons, murmura-t-il. Ne pleure pas. Tout n'est pas encore perdu. Il est vivant, il respire, et son cerveau ne paraît pas avoir été affecté. S'ils trouvent un antidote au poison qu'il a dans le corps, il devrait s'en sortir.

– Combien de temps lui reste-t-il ? demandai-je encore.

Papa haussa les épaules.

— Dans l'état où il est, ils pourraient le maintenir en vie avec des machines pendant des siècles.

— Comme ces gens qui sont dans le coma?

— Exactement.

— Et quand seront-ils obligés d'utiliser les machines?

— Ils ne peuvent rien affirmer là-dessus, étant donné qu'ils ignorent à quoi ils ont affaire. Mais ils pensent qu'un jour ou deux vont encore s'écouler avant que son système respiratoire et son système coronarien ne commencent à faiblir.

— Ses quoi? fit Annie entre deux sanglots.

— Ses poumons et son cœur, chérie. Tant qu'ils fonctionnent, Steve est vivant. On est obligé d'utiliser un goutte-à-goutte pour le nourrir, mais à part ça, il va bien. C'est quand il s'arrêtera de respirer — si jamais ça arrive — que les vrais ennuis débuteront.

Deux jours. Ça n'était pas beaucoup. La veille encore, il avait eu toute une vie devant lui. Maintenant, il ne lui restait peut-être que deux jours.

Je regardai Papa.

— Je peux aller le voir?

— Cet après-midi, si tu en as envie.

— J'en ai envie, dis-je.

L'hôpital était plus animé cette fois. Des tas de visiteurs allaient et venaient dans les couloirs. Je n'avais jamais vu autant de boîtes de chocolats et de bouquets de fleurs; tout le monde semblait avoir un cadeau à la main. J'aurais voulu acheter quelque chose à la boutique de l'hôpital, moi aussi, mais j'étais venu sans argent.

Steve avait une chambre pour lui tout seul, parce que les médecins voulaient étudier son cas, et aussi parce qu'ils ignoraient s'il était contagieux. On nous obligea à mettre un masque, des gants et une blouse verte avant de nous laisser entrer.

Mme Léonard était endormie dans un fauteuil. Maman nous fit signe de ne pas faire de bruit, un doigt sur la bouche. Elle nous serra dans ses bras, l'un après l'autre, puis parla à Papa.

– Deux résultats d'examen nous sont parvenus, annonça-t-elle. Tous deux négatifs.

– Sûrement, *quelqu'un* sait de quoi il s'agit, observa Papa. Combien de venins différents peut-il exister ?

– Des milliers, paraît-il. Ils ont expédié des échantillons dans divers laboratoires à l'étranger. Avec de la chance, un chercheur aura peut-être des traces de ce venin. Mais il peut se passer des semaines avant que quelqu'un réponde.

Pendant qu'ils parlaient, j'étudiai Steve. Il était bordé serré dans son lit, avec un goutte-à-goutte planté dans le bras et des tas de fils et autres tuyaux sur la poitrine. On voyait sur sa peau des traces de piqûre, là où les médecins avaient prélevé des échantillons de sang. Son visage était blême. Il me parut dans un triste état.

Je me mis à pleurer sans pouvoir m'arrêter. Maman me prit dans ses bras et me serra très fort, ce qui ne fit qu'aggraver mon chagrin. Je voulus lui parler de l'araignée, mais je pleurais trop pour que les mots soient audibles. Elle n'arrêtait pas de m'embrasser et de me dire de ne pas m'inquiéter, et je finis par abandonner l'idée d'avouer la réalité.

D'autres visiteurs arrivèrent, des parents proches de Steve, et Maman préféra les laisser seuls avec lui et sa mère. Elle nous fit sortir, ôta mon masque et essuya mes yeux avec un Kleenex.

— Voilà, dit-elle en me souriant. C'est mieux comme ça. Il va se remettre, je t'assure. Les médecins font tout ce qu'ils peuvent. Il faut leur faire confiance et garder espoir, d'accord ?

— D'accord, soupirai-je.

— J'ai trouvé qu'il avait l'air en forme, déclara Annie en m'étreignant la main.

Je lui souris avec gratitude.

— Tu veux rentrer à la maison ? demanda Papa à Maman.

— Je n'en sais rien, répondit-elle. Je crois que je devrais rester encore un peu au cas où...

— Angela, tu en as assez fait ! interrompit-il d'un ton ferme. Je parie que tu n'as pas fermé l'œil de la nuit !

— Je n'ai pas beaucoup dormi, reconnut Maman.

— Alors, rentrons, Angie. Il faut que tu te reposes. Tu peux laisser à d'autres le soin de s'occuper de Steve et de sa mère. Personne ne te demande de t'épuiser à la tâche.

Papa appelle Maman « Angie » quand il veut la persuader de faire quelque chose.

— D'accord, opina-t-elle. Mais je reviendrai ce soir, au cas où ils auraient encore besoin de moi.

– Si tu veux, concéda Papa.

Et il lui prit le bras pour la piloter jusqu'à la voiture. La visite n'avait pas duré bien longtemps, mais j'étais soulagé de partir.

Je pensai à Steve pendant le trajet du retour, à ses traits blêmes. Je pensai au poison dans ses veines, et j'eus la quasi-certitude que les docteurs ne trouveraient pas le moyen de le neutraliser. Je savais qu'aucun médecin, aucun chercheur au monde n'était encore tombé sur le venin d'une araignée comme Madame Octa. J'imaginais déjà Steve relié à un poumon d'acier, le visage couvert d'un masque, avec des tubes et des tuyaux partout. C'était une vision horrible.

Il n'existait qu'un moyen de le sauver ; une seule personne qui devait connaître ce venin, et savoir comment combattre ses effets.

M. Krapula.

Tandis que nous nous garions, je pris ma décision : j'irais lui parler, et je l'obligerais à porter secours à mon ami. Sitôt la nuit tombée, je me faufilerais hors de la maison et je retrouverais le vampire, où qu'il pût se cacher (j'avais mon idée là-dessus). Et si je ne pouvais pas lui arracher le secret qui guérirait Steve, et revenir avec un remède... je ne reviendrais pas du tout.

24

Maman rentra à la maison vers dix heures, fatiguée. Papa et elle prirent une tasse de thé en bavardant dans la cuisine et montèrent se coucher. Je leur laissai le temps de s'endormir, puis me glissai dans l'escalier et sortis par la porte de derrière.

Je fonçai dans le noir comme une comète. Personne ne me vit ni ne m'entendit. J'avais une croix dans une poche – dénichée dans la boîte à bijoux de Maman – et dans l'autre une petite bouteille d'eau bénite qu'un ami de Papa nous avait envoyée des années plus tôt. Impossible, au dernier moment, de trouver un pieu. J'avais pensé emporter un couteau pointu à la place, mais je me serais probablement blessé. Je suis maladroit avec les couteaux.

Le vieux théâtre était désert et plongé dans un noir d'encre. J'entrai par la porte principale, cette fois. Il me fallut un certain temps pour m'y retrouver. Je m'étais muni d'une lampe électrique, mais la pile était presque morte et la lumière faiblit au bout de deux minutes, m'obligeant à tâtonner dans le noir comme une taupe. Quand je repérai enfin les marches menant au sous-sol, je m'y engageai immédiatement pour ne pas me laisser gagner par la peur.

Plus je descendais, mieux j'y voyais ; car sur un piédestal au bas de l'escalier se dressaient cinq grands cierges à la flamme vacillante. J'en fus étonné – les vampires n'avaient-ils pas peur du feu ? – mais content.

M. Krapula m'attendait à l'autre bout de la cave. Il était assis à une petite table, un jeu de cartes à la main, et faisait une réussite.

– Bonjour, Maître Shan, me lança-t-il sans lever les yeux.

Je me raclai la gorge avant de répondre :

– Ce n'est pas le jour. Nous sommes en pleine nuit.

– Pour moi, c'est le matin, dit-il.

Il me regarda et sourit. Il avait de longues dents acérées. Hormis ce détail, son visage, vu de près, me parut plus laid que démoniaque. Pas d'oreilles pointues, pas d'yeux injectés de sang. J'en fus un peu déçu.

– Vous m'attendiez, n'est-ce pas ? demandai-je.

– Oui.

– Depuis combien de temps saviez-vous où se trouvait Madame Octa ?

– Je l'ai découvert la nuit où tu me l'as volée.

– Pourquoi ne l'avez-vous pas reprise tout de suite, alors ?

Il haussa les épaules.

– J'allais le faire, mais je me suis mis à réfléchir sur le genre de garçon qui oserait voler quelque chose à un vampire, et je me suis dit que tu méritais certainement d'être étudié de plus près.

– Pourquoi? demandai-je, essayant d'empêcher mes genoux de trembler.

– Pourquoi, en effet? rétorqua-t-il d'un air moqueur.

Il claqua dans ses doigts, et les cartes étalées sur la table vinrent se replacer toutes seules dans le paquet qu'il tenait à la main. Il déposa celui-ci, fit craquer ses phalanges.

– Dis-moi, Darren Shan, pourquoi es-tu venu? Est-ce encore pour me voler Madame Octa?

– Je ne veux plus jamais voir ce monstre!

Il se mit à rire.

– Elle sera navrée d'apprendre ça.

– Ne vous moquez pas, dis-je d'une voix menaçante. Je n'aime pas qu'on se fiche de moi!

– Non? s'étonna-t-il. Et qu'est-ce que tu comptes faire si je continue?

Je sortis la croix et la bouteille d'eau bénite et je les brandis sous son nez.

– Je vous frapperai avec ça!

Je m'attendais à ce qu'il recule et s'écroule en gémissant de peur. Ce ne fut pas le cas. Sans cesser de sourire, il fit de nouveau claquer ses doigts – et soudain, la croix et la petite bouteille s'échappèrent de mes mains pour se retrouver dans les *siennes*.

Il examina la croix, gloussa et la transforma en une petite boulette, comme si elle avait été en papier alu.

Puis il déboucha la bouteille et but son contenu en trois lampées.

– Tu sais ce qui m'amuse? ricana-t-il. Ce qui m'amuse, ce sont ces gens qui gobent tout ce qu'ils voient dans les films d'épouvante. Parce qu'ils viennent nous menacer avec des trucs idiots comme des croix et de l'eau bénite, au lieu d'utiliser des armes qui provoqueraient de vrais dégâts comme des fusils et des grenades.

– Vous voulez dire... que les croix ne vous effraient pas? bégayai-je.

– Pourquoi le devraient-elles?

– Parce que vous incarnez le mal!

– Tu ne dois pas croire tout ce qu'on raconte. Il est vrai que nos appétits sont du genre exotique. Mais ce n'est pas parce qu'on boit du sang qu'on est nécessairement mauvais. Les chauves-souris vampires incarnent-elles le mal parce qu'elles boivent le sang des vaches et des chevaux?

– Non, dis-je. Mais c'est différent. Ce sont des animaux.

– Les humains sont des animaux aussi. Si un vampire tue un humain, d'accord, il est mauvais. Mais celui qui suce un peu de sang pour apaiser son estomac qui gargouille... quel crime commet-il?

Je ne sus que répondre.

– Bon, je vois que tu n'es pas d'humeur à entamer un débat, poursuivit-il. Eh bien, nous garderons les discours pour une autre fois. Alors, Darren Shan, que veux-tu, si ce n'est mon araignée?

– Elle a piqué Steve Léonard, dis-je.

– Ah. Le dénommé Steve Léonard, marmonna-t-il en hochant la tête. Une sale affaire... Mais les petits garçons qui jouent avec les choses qui les dépassent ne devraient pas se plaindre quand...

– Je veux que vous le guérissiez ! m'exclamai-je.

Il feignit la surprise.

– *Moi ?* Je ne suis pas médecin. Encore moins un grand spécialiste. Je ne suis qu'un artiste de cirque. Tu te souviens ?

– Non ! protestai-je. Vous êtes plus que ça. Je sais que vous pouvez le sauver. Je sais que vous avez ce pouvoir.

– Hum. C'est possible, en effet. La morsure de Madame Octa est mortelle, mais pour tout poison, il existe un antidote. Alors, j'ai peut-être un remède. J'ai peut-être une bouteille de sérum qui rendra à ton ami toutes ses facultés...

– Oui ! m'écriai-je triomphalement. J'en étais sûr ! J'en étais sûr !

– Mais, poursuivit M. Krapula en levant un long doigt osseux pour m'imposer silence, peut-être que c'est une toute petite bouteille. Peut-être qu'elle contient une minuscule quantité de sérum. Peut-être qu'elle est très, très précieuse. Peut-être que je veux la garder pour une véritable urgence, c'est-à-dire pour le cas où Madame Octa me piquerait, *moi*. Peut-être que je ne veux pas la gâcher pour un sale morveux !

– Non, dis-je doucement, il faut me la donner. Nous devons nous en servir pour sauver Steve. Il est mourant. Vous ne pouvez pas le laisser mourir.

– Oh, je le peux tout à fait ! répondit M. Krapula en souriant. Qu'est-ce qu'il est pour moi, ton ami ?

Pourquoi sauverais-je la vie de Steve Léonard? Le sérum coûte une fortune, il est irremplaçable.

— Je vous paierai! m'écriai-je.

C'était ce qu'il attendait. Je le vis à la lueur qui passa dans ses yeux, à la façon dont il se pencha soudain vers moi, l'air avide. Voilà pourquoi il n'avait pas repris Madame Octa le premier soir. Voilà pourquoi il n'avait pas quitté la ville.

— Tu me paieras? répéta-t-il d'un air rusé. Mais tu n'es qu'un enfant. Tu n'as certainement pas assez d'argent.

— Je vous réglerai en plusieurs fois. Chaque semaine, pendant cinquante ans; ou aussi longtemps que vous voudrez. Je travaillerai quand je serai grand, et je vous donnerai tout ce que je gagne. Je le jure!

Il secoua la tête.

— Non. Ton argent ne m'intéresse pas.

— Qu'est-ce qui vous intéresse, alors? demandai-je. Je suis sûr que vous avez un prix. C'est pour ça que vous m'attendiez, n'est-ce pas?

— Tu es un jeune homme intelligent, observa-t-il. Je l'ai compris tout de suite, le jour où j'ai découvert ton message à la place de mon araignée disparue. J'ai pensé : « Larten, voilà un enfant des plus remarquables, un vrai prodige. Ce garçon ira loin! »

— Arrêtez de vous payer ma tête et dites-moi ce que vous voulez! aboyai-je.

Il se mit à rire, puis reprit son sérieux.

— Te souviens-tu de quoi nous avons parlé, Steve Léonard et moi?

— Bien sûr. Il souhaitait devenir un vampire, comme vous. Vous le trouviez trop jeune, alors il vous a proposé de le prendre pour assistant. Là, vous étiez d'accord, mais vous avez découvert qu'il était mauvais, et vous avez refusé.

– Ça résume à peu près notre conversation, admit-il. Sauf que je n'étais pas très chaud à l'idée de prendre un assistant, tu te rappelles ? Ils sont utiles, certes, mais parfois un peu encombrants.

– Bon, mais où cela nous mène-t-il ?

– J'ai réfléchi, depuis. J'ai décidé qu'après tout, ça ne serait peut-être pas une mauvaise chose, étant donné que j'ai dû quitter le Cirque des Horreurs et que je suis obligé de me débrouiller tout seul. Un assistant pourrait être juste ce qu'il me faut.

Je fronçai les sourcils.

– Vous voulez dire que maintenant, vous accepteriez que Steve devienne votre assistant ?

– Par tous les diables, non ! se récria-t-il. Ce monstre ? Nul ne peut prévoir ce qu'il deviendra en grandissant. Non, Darren Shan, ce n'est pas Steve Léonard que je veux comme assistant.

Il pointa de nouveau son doigt osseux sur moi, et je sus ce qu'il allait dire avant même qu'il n'ait eu le temps de parler. Je le devançai :

– C'est *moi* que vous voulez ! dis-je.

Et son affreux sourire me fit comprendre que j'avais raison.

25

– **V**ous êtes fou ! m'exclamai-je en reculant. Jamais je ne deviendrai votre assistant ! Vous devez être malade, pour penser une chose pareille !

M. Krapula haussa les épaules.

– Alors, Steve va mourir.

Je cessai de battre en retraite.

– Je vous en prie, suppliai-je. Il doit y avoir un autre moyen.

– Aucune discussion n'est envisageable. Si tu veux sauver ton ami, tu dois te joindre à moi. Si tu refuses, nous n'avons plus rien à nous dire.

– Et si je...

– Ne me fais pas perdre mon temps ! tonna-t-il en assenant un coup de poing sur la table. Je vis dans ce trou à rats depuis des jours, à supporter l'inconfort, les cafards et les puces. Si mon offre ne t'intéresse pas, dis-le, et je m'en irai. Mais ne cherche pas d'autres options, car il n'y en a aucune.

Je hochai lentement la tête, et refis un pas en avant.

– Expliquez-moi en quoi ça consiste, être l'assistant d'un vampire.

Il sourit.

– Tu m'accompagneras dans mes voyages à travers le monde. Le jour, tu seras mes yeux et mes mains. Tu veilleras sur mon sommeil. Tu me trouveras à manger si la nourriture se fait rare. Tu porteras mes vêtements à la blanchisserie, tu cireras mes chaussures. Tu veilleras sur Madame Octa. Bref, tu satisferas tous mes désirs. En échange, je t'enseignerai le mode de vie des vampires.

– Serai-je *obligé* d'en devenir un ?

– Plus tard, éventuellement. Au début, je ferai de toi un demi-vampire. Ça signifie que contrairement à nous, tu seras capable d'aller et venir en plein jour. Tu n'auras pas besoin de beaucoup de sang pour être en état de marche. Tu posséderas certains de nos pouvoirs, mais pas tous. Et tu ne vieilliras que cinq fois moins vite, au lieu de dix fois.

– Comment cela ? m'étonnai-je.

– Les vampires ne sont pas éternels, mais ils vivent quand même bien plus longtemps que les humains. Et nous vieillissons environ dix fois moins vite qu'eux. Ce qui signifie, en gros, que nous vieillissons d'un an tous les dix ans. Et toi, si tu deviens un demi-vampire, tu vieilliras d'un an tous les cinq ans.

– Un an de plus tous les *cinq* ans ? Là, ça risque de me poser un problème, avouai-je. Je n'ai pas envie de rester un gamin éternellement !

– À toi de voir. Je ne peux pas te forcer à devenir mon assistant. Si ça ne te plaît pas, tu es libre de partir.

– Steve va mourir, si je fais ça! protestai-je. Je n'ai pas tellement le choix!

– Non, reconnut-il. Est-ce que tu acceptes?

Je réfléchis. J'avais envie de m'enfuir en courant pour ne jamais revenir. L'amitié de Steve valait-elle un pareil marché? Me sentais-je suffisamment coupable pour échanger ma vie contre la sienne? La réponse était *oui*.

– D'accord, soupirai-je. Ça ne m'enchante pas, mais j'ai les mains liées. Je veux tout de même que vous sachiez ceci : si jamais l'occasion de vous trahir se présente, je la saisirai. Si je peux vous rendre un jour la monnaie de votre pièce, je n'hésiterai pas. Vous ne pourrez jamais me faire confiance.

– Ça me va, dit-il.

– Je parle sérieusement!

– Je sais. C'est pour ça que je t'ai choisi. J'aime ta combativité. Un assistant vampire doit avoir du caractère. Tu seras un garçon dangereux à côtoyer, j'en suis sûr, mais en cas de coup dur, tu feras un allié solide.

Je respirai un bon coup.

– Alors, on procède comment? demandai-je.

Il se leva, repoussa la table, s'approcha jusqu'à être à un mètre de moi. Il me paraissait aussi haut qu'une tour. Et il dégageait une odeur un peu fétide que je n'avais pas remarquée auparavant, l'odeur du *sang*.

Il tendit les mains, me les montra. Ses ongles n'étaient pas particulièrement longs, mais très pointus. Il enfonça ceux de la main droite dans les extrémités charnues des doigts de sa main gauche. Puis il enfonça de même les ongles de sa main gauche dans les doigts de sa main droite. Ce faisant, il réprima une petite grimace.

– Donne-moi tes mains, grogna-t-il.

Je regardais le sang qui s'écoulait de ses doigts, et n'obéis pas tout de suite.

– Allons ! fit-il en prenant mes mains et en les attirant à lui d'un geste brutal.

Il enfonça ses ongles dans le bout de mes doigts, les dix en même temps. Je poussai un cri de douleur et reculai, courbé en deux, ramenant mes mains sous mes aisselles.

– Ne joue pas les bébés, se moqua-t-il en les saisissant de nouveau.

– Mais ça fait mal ! protestai-je.

– Bien sûr que ça fait mal ! Ça m'a fait mal aussi. Tu croyais que devenir un vampire était facile ? Tu dois t'habituer à la douleur. Tu n'en as pas fini avec elle !

Il porta deux de mes doigts à sa bouche et suça un peu de mon sang. Je le vis le rouler sous sa langue pour le goûter, comme s'il s'était agi d'un vin. Finalement, il hocha la tête et l'avala.

– C'est du sang de bonne qualité, déclara-t-il. On peut continuer.

Il pressa ses doigts contre les miens, blessure contre blessure. Aussitôt, mes mains et mes avant-bras s'engourdirent ; puis je sentis comme un flux se dégager de moi, et je me rendis compte que mon sang passait de mon corps au sien par ma main gauche, tandis que son sang pénétrait dans mon corps par ma main droite. Quand son sang arriva dans mon cœur, une douleur aiguë m'arracha un autre cri, et je faillis m'évanouir. La même chose se produisit sans doute chez M. Krapula, car je le vis serrer les dents ; et des gouttes de sueur perlèrent à son front.

La douleur s'évanouit. Nous restâmes ainsi joints un instant encore, puis il se libéra avec un grognement. Je m'écroulai par terre. J'étais étourdi et j'avais la nausée.

– Debout ! ordonna M. Krapula. Donne-moi tes doigts.

Je me relevai sur des jambes flageolantes et vis qu'il était en train de lécher les siens.

– Ma salive va cicatriser tes blessures. Autrement, tu vas perdre tout ton sang et tu mourras.

Je regardai mes mains : le sang coulait abondamment. Je les tendis au vampire, le laissai les mettre dans sa bouche et passer une langue râpeuse sur le bout de mes doigts.

Quand il les relâcha, le flot de sang avait cessé de couler. J'examinai mes doigts et notai qu'ils portaient à présent dix minuscules cicatrices.

– C'est comme ça qu'on reconnaît un vampire, m'informa M. Krapula. Il y a d'autres méthodes pour transformer un humain, mais celle des doigts est encore la plus simple et la moins douloureuse.

– C'est tout ? Je suis un demi-vampire, maintenant ?

– Oui, dit-il.

– Je ne me sens pas différent !

– Il faudra quelques jours pour que les effets se fassent sentir. Il y a toujours une période d'adaptation. Sans ça, le choc serait trop grand.

– Et comment devient-on un vampire total ? demandai-je.

– De la même façon. Sauf que les doigts restent joints plus longtemps, afin que le vampire initiateur transmette à l'initié une plus grande quantité de son sang.

– Qu'est-ce que mes nouveaux pouvoirs vont me permettre de faire ? Pourrai-je me changer en chauve-souris ?

Son éclat de rire ébranla les murs.

– Une chauve-souris ! s'étrangla-t-il. Tu ne crois tout de même pas ces histoires idiotes, non ? Comment voudrais-tu qu'un grand garçon comme toi se transforme en une minuscule souris volante ? Sers-toi de ton cerveau, mon garçon. On ne se change pas plus en chauve-souris qu'en rat, en grenouille ou en singe ! Ça, ce sont des contes à dormir debout !

– Qu'est-ce qu'on peut faire, alors ?

Il se gratta le menton.

– Il y aurait trop à dire là-dessus, et nous n'avons pas le temps. Nous devons d'abord nous occuper de ton ami. S'il ne reçoit pas l'antidote avant demain matin, celui-ci ne sera plus efficace. Allons-y ! Nous discuterons plus tard de nos pouvoirs secrets.

Il eut un petit sourire rusé et ajouta :

– D'ailleurs, nous avons tout l'avenir pour ça !

26

M. Krapula prit les devants pour gravir l'escalier et nous piloter vers la sortie. Il marchait avec assurance dans le noir. J'eus l'impression que j'y voyais mieux qu'en venant, moi aussi ; mais c'était sans doute parce que mes yeux avaient fini par s'habituer à l'obscurité, et non à cause du sang de vampire qui coulait à présent dans mes veines.

Une fois dehors, il m'ordonna de grimper sur son dos.

– Passe tes bras autour de mon cou et accroche-toi bien. Ne me lâche pas, ne fais pas de mouvements brusques !

Comme je m'apprêtais à lui obéir, je remarquai qu'il portait des chaussons plats du genre ballerine. Curieux.

Quand je fus sur son dos, il s'élança dans la nuit à petites foulées. Bientôt, je me rendis compte que les bâtiments autour de nous filaient comme l'éclair alors que les jambes de M. Krapula semblaient à peine se mouvoir. En fait, c'était comme si le décor se déplaçait à toute allure en sens inverse.

On parvint à l'hôpital en moins de deux minutes. Normalement, il aurait fallu une demi-heure – et encore, à condition de courir tout le long du chemin.

– Comment avez-vous fait ça ? m'étonnai-je en mettant pied à terre.

– La vitesse est relative, dit-il.

Ce fut la seule explication qu'il me donna. Il ramena sa cape autour de ses épaules, et m'entraîna dans l'ombre pour nous éviter d'être vus. Nous étions devant la haute façade de l'hôpital.

– Dans quelle chambre se trouve ton ami ? s'enquit-il.

Je lui indiquai le numéro de la chambre de Steve. Il leva les yeux, compta les fenêtres, et m'ordonna de sauter de nouveau sur son dos. Quand je fus en position, il se dirigea vers la façade, ôta ses chaussons et cala ses doigts et ses orteils contre le mur. Puis il enfonça ses ongles dans la brique !

– Hmmm, marmonna-t-il. La maçonnerie est un peu croulante, mais elle tiendra le coup. Ne panique pas si on glisse, ou si je lâche prise. Je sais comment retomber sur mes pieds. Il faut une sacrée chute pour tuer un vampire !

Il grimpa le long du mur, enfonçant ses ongles, avançant une main, puis un pied, puis l'autre main, et l'autre pied. Il se déplaçait avec agilité, et en un clin d'œil, nous fûmes sur le balcon de la fenêtre de mon ami.

Il devait être tard. Il n'y avait personne dans la pièce en dehors de Steve. M. Krapula tenta de pousser les battants de la fenêtre. Elle était verrouillée. Il posa une main sur la vitre, à côté du loquet, et fit claquer ses doigts. Quand il poussa de nouveau, le loquet céda, la fenêtre s'ouvrit.

M. Krapula entra dans la chambre, et je descendis de son dos. Tandis qu'il entrouvrait la porte pour jeter un coup d'œil dans le couloir silencieux, je me penchai sur Steve. Il avait la respiration plus sifflante et plus saccadée qu'à ma dernière visite, et des tas de nouveaux tuyaux reliaient son corps à des machines d'aspect menaçant.

M. Krapula vint l'examiner par-dessus mon épaule.

— Le venin a agi rapidement, murmura-t-il. Il est peut-être trop tard pour le sauver...

Ma gorge se noua. Un étau m'enserra la poitrine.

M. Krapula prit le pouls de Steve, puis souleva la paupière et examina longuement son globe oculaire.

— Ma foi, grommela-t-il enfin, je crois que nous arrivons à temps. Une chance pour lui que tu te sois décidé à venir me trouver ! Encore quelques heures, et il était fichu.

— Dépêchez-vous donc de le guérir ! rétorquai-je soulagé.

M. Krapula sortit de sa poche une petite fiole de verre. Il alluma la veilleuse à la tête du lit et leva la fiole à la lumière pour examiner le sérum.

– Il me faut faire preuve d'une grande précision, me confia-t-il. L'antidote est presque aussi mortel que le venin. Deux ou trois gouttes de trop, et...

Il n'avait pas besoin d'achever.

Il coucha la tête de Steve sur le côté et me demanda de la maintenir ainsi. Puis, à l'aide de son ongle, il pratiqua une petite entaille dans la chair du cou. Le sang jaillit. Il posa un doigt sur la blessure pour arrêter l'épanchement.

Je le vis ensuite déboucher la fiole et, à mon étonnement, la porter à ses lèvres.

– Que faites-vous ? demandai-je.

– Je me sers de ma bouche pour lui transmettre le liquide. On peut l'injecter autrement, bien sûr, mais je ne connais rien aux piqûres.

– C'est sans danger ? Vous ne risquez pas de lui refiler des microbes ?

M. Krapula sourit.

– Si tu veux appeler un docteur, ne te gêne pas ! Sinon, fais confiance à un homme qui pratiquait déjà ce genre d'exercice bien avant la naissance de ton grand-père !

Il avala le sérum et le garda dans sa bouche. Puis il se pencha sur le cou de Steve et colla ses lèvres sur la blessure. Ses joues se gonflèrent et se creusèrent tandis qu'il insufflait le sérum au malade.

Quand ce fut fini, il se redressa, cracha un reste de sérum par terre et s'essuya la bouche.

– J'ai toujours peur d'avaler un peu de cette saleté, dit-il en rempochant sa fiole. Je devrais quand même apprendre à faire les piqûres.

Juste à ce moment, Steve bougea. Il balança la tête d'un côté à l'autre. Des soubresauts agitèrent ses bras et ses jambes. Son visage grimaça et il se mit à gémir.

– Qu'est-ce qu'il a? m'écriai-je, affolé à l'idée que quelque chose avait tourné de travers.

– Tout va bien, me rassura M. Krapula. Il était sur le rivage de la mort, et le voyage du retour n'est jamais plaisant... Il souffrira pendant un certain temps, mais il vivra.

– Il y aura des séquelles? Il ne risque pas d'être paralysé à partir de la taille, ou quelque autre calamité de ce genre?

– Non. Il éprouvera une légère raideur musculaire de temps à autre, et il s'enrhumera facilement; mais à part ça, il sera comme avant. En excellente santé.

Les yeux de Steve s'ouvrirent brusquement et se fixèrent sur moi. Une expression perplexe traversa son visage, et il essaya de parler. Mais sa bouche ne put former les mots, ses yeux redevinrent vitreux et il les ferma de nouveau.

– Steve? appelai-je en le secouant. Steve?

– Ça va se produire des tas de fois, avertit M. Krapula. Pendant toute la nuit, il refera surface et perdra conscience tour à tour. Mais demain matin, il se réveillera pour de bon, et l'après-midi, il sera assis dans son lit et demandera à manger. Allons-nous-en, maintenant.

– J'ai envie de m'attarder un peu, histoire de m'assurer qu'il se remet vraiment, dis-je.

– Tu veux plutôt t'assurer que je ne t'ai pas joué un tour, objecta M. Krapula en souriant. Tu pourras revenir demain, et tu verras qu'il est parfaitement guéri. En attendant, il vaut mieux filer. Si on reste plus...

La porte s'ouvrit brusquement et une infirmière entra dans la pièce.

– Qu'est-ce qui se passe, ici ? s'écria-t-elle, stupéfaite de nous voir. Qui diable êtes...

M. Krapula réagit vivement. Il arracha le couvre-lit de Steve et le jeta sur l'infirmière, qui se débattit sous les replis de l'étoffe et tomba à la renverse.

– Vite, me souffla-t-il en se précipitant vers la fenêtre. Fichons le camp ! Allez, viens !

Je regardai la main qu'il me tendait, puis Steve, puis l'infirmière, puis la porte ouverte.

M. Krapula laissa retomber sa main.

– Je vois, articula-t-il d'une voix blanche. Tu n'as pas l'intention de respecter notre marché.

J'hésitai, ouvris la bouche pour dire quelque chose, puis – agissant sans réfléchir – me précipitai vers la porte !

Je crus qu'il allait essayer de me retenir, mais il n'en fit rien, et se contenta de me crier tandis que je m'enfuyais en courant :

– Parfait ! Cours, Darren Shan, cours ! Ce n'est pas ce qui te sauvera ! Tu es une créature de la nuit, maintenant. Tu es des nôtres ! Tu reviendras ! Tu te traîneras vers moi à genoux, implorant mon aide ! Cours, pauvre fou, cours !

Et il éclata de rire.

Son rire me poursuivit le long des couloirs, dans l'escalier, et même au-delà de la porte d'entrée. Je n'arrêtais pas de regarder par-dessus mon épaule en courant, m'attendant à le voir fondre sur moi, mais je ne perçus aucun signe de lui sur le chemin de la maison – hormis ce rire sonnant à mes oreilles comme la malédiction d'une sorcière.

27

Je feignis l'étonnement quand Maman reposa le téléphone le lundi matin et m'annonça la guérison de
Steve. Elle était si contente qu'elle nous entraîna,
Annie et moi, dans une petite danse au beau milieu de
la cuisine.

— Il s'en est sorti comme ça, tout seul ? interrogea
Papa.

— Oui, répondit-elle. Les docteurs n'y compren-
nent rien, mais tout le monde est aux anges !

— Incroyable, murmura Papa.

— C'est peut-être un miracle, suggéra Annie.

Là, je dus tourner la tête pour cacher mon sourire.
Drôle de miracle !

Tandis que Maman s'en allait voir Mme Léonard,
je partis pour l'école. Je craignais plus ou moins
d'être réduit en cendres par l'éclat du soleil en quit-
tant la maison, mais bien sûr, cela ne se produisit pas.
Du reste, M. Krapula m'avait prévenu que je pourrais

aller et venir en plein jour (contrairement aux
« vrais » vampires).

Je me demandais de temps à autre si je n'avais pas
fait un cauchemar. J'aurais voulu m'en persuader,
mais au fond de moi, je savais que je n'avais pas rêvé
ce qui venait de m'arriver. Ce que je détestais le plus,
c'était l'idée de rester coincé dans ce corps en attendant que ma croissance ait fini de traîner en longueur.
Comment expliquer à Maman et Papa pourquoi je
vieillissais moins vite que les autres enfants ? J'aurais
l'air malin en classe, dans deux ou trois ans, quand
mes copains me dépasseraient tous d'une bonne tête.

Le mardi, je rendis visite à Steve. Il était assis dans
son lit, et regardait la télé en mangeant des chocolats.
Il fut ravi de me voir et me raconta en détail sa vie à
l'hôpital. Des cadeaux s'entassaient près de son lit.

– Je devrais me faire piquer plus souvent par des
araignées venimeuses, plaisanta-t-il.

– À ta place, je n'en ferais pas une habitude, rétorquai-je. Tu ne t'en tireras peut-être pas, la prochaine
fois !

Il reprit son sérieux et me confia :

– Figure-toi que les médecins sont dépassés. Ils ne
savent pas ce qui m'a rendu malade, et ils ne savent
pas non plus ce qui m'a guéri.

– Tu ne leur as pas parlé de Madame Octa ?

– Non. Ça ne semblait pas très utile. Et ça t'aurait
attiré des ennuis.

– Merci, Steve.

– Qu'est-elle devenue ? Qu'est-ce que tu en as fait,
après qu'elle m'a piqué ?

– Je l'ai tuée, mentis-je. La colère m'a aveuglé, et je l'ai écrasée à coups de talon.

– Vraiment ?

– Vraiment.

Il hocha lentement la tête, sans me quitter des yeux.

– Quand je me suis réveillé, dit-il, j'ai cru que je te voyais. J'ai dû rêver, parce que c'était la nuit. Mais mon rêve avait l'air si réel ! J'ai même pensé que je voyais quelqu'un à tes côtés, un type affreux qui ressemblait comme deux gouttes d'eau à M. Krapula !

Je ne dis rien. Je ne pouvais pas parler. Je gardais les yeux baissés sur le plancher.

– Le plus drôle, poursuivit-il, c'est qu'une infirmière jure que deux personnes ont pénétré dans ma chambre cette nuit ; un homme et un jeune garçon. Mais comme ils n'ont laissé aucune trace de leur passage, les médecins pensent que son imagination lui a joué des tours. C'est étrange, tu ne trouves pas ?

– Très étrange, bredouillai-je, incapable de le regarder dans les yeux.

J'écourtai ma visite en invoquant le premier prétexte venu et fus soulagé de repartir.

Les jours suivants, je notai quelques changements en moi. J'avais du mal à m'endormir le soir, et il m'arrivait de me réveiller au milieu de la nuit. Mon ouïe s'améliora au point que j'étais capable de saisir une conversation de très loin. À l'école, j'entendais tout ce qui se passait dans la salle de classe attenante à la mienne, comme s'il n'y avait pas de mur de séparation.

Ma forme physique s'améliora. Je pouvais maintenant courir des heures sans fatigue, sans même transpirer. Je distançais tout le monde. J'étais plus conscient de mon corps, et je le contrôlais mieux. Au foot, je faisais pratiquement ce que je voulais, dribblant à volonté autour de mes adversaires. Le jeudi, je marquai seize buts consécutifs.

Je devenais plus costaud. Je n'avais pourtant pas développé de nouveaux muscles – rien de visible, en tout cas – mais je me sentais habité par une force neuve, une force dont j'ignorais encore la portée. Il me restait à la tester, la mesurer ; je pressentais qu'elle pourrait devenir immense.

Il ne m'était pas facile de cacher aux copains les talents que je venais d'acquérir. Je justifiai mes exploits à la course et au foot en prétendant que je m'entraînais beaucoup, mais je vécus des situations épineuses.

Il y eut par exemple la fois où je voulus rattraper le ballon au vol ; je l'écrasai malgré moi entre mes doigts, et il éclata ! Et le soir même à la maison, pendant le dîner, j'eus du mal à me concentrer sur la conversation à table parce que j'entendais nos voisins se chamailler dans leur maison, et que j'écoutais leur dispute.

Steve appela le jeudi soir. On lui avait permis de quitter l'hôpital. Il était censé se reposer encore quelques jours, mais il m'avoua que l'inaction le rendait fou, et qu'il avait persuadé sa mère de le laisser revenir à l'école dès le lendemain.

– Tu as envie de venir à l'école ? m'exclamai-je.

– Ça paraît fou, hein? gloussa-t-il. En temps normal, je cherche des excuses pour rester à la maison. Et maintenant que j'en ai une, je n'ai même pas envie de m'en servir! Tu ne peux pas savoir comme c'est barbant de rester seul tout le temps sans mettre le nez dehors! C'était marrant les deux premiers jours, mais toute une semaine... non, merci!

Je faillis me confier à lui, mais je redoutais sa réaction. Steve avait voulu être l'assistant de M. Krapula. Sans doute n'aimerait-il pas apprendre que le vampire m'avait choisi, moi, à sa place.

Tout dire à Annie était aussi hors de question. Bien qu'elle n'eût pas fait allusion à Madame Octa depuis la guérison de Steve, je la surprenais souvent en train de m'observer. Je ne sais pas quelles pensées lui passaient par la tête; j'imaginais que ça devait être quelque chose du genre : « Steve a guéri, mais ce n'est pas grâce à toi. Tu avais l'occasion de le sauver, et tu ne l'as pas fait. Tu as menti, et tu as mis sa vie en jeu juste pour ne pas t'attirer d'ennuis. Aurais-tu agi de la même façon si ç'avait été moi? »

Le vendredi, Steve fut le centre d'attraction à l'école. Tous les élèves s'attroupèrent autour de lui et lui demandèrent de raconter ses déboires. Les copains voulaient savoir ce qui l'avait empoisonné, comment il s'en était sorti, à quoi ressemblait son séjour à l'hôpital, si on l'avait opéré, s'il gardait des cicatrices, etc.

– J'ignore ce qui m'a piqué, dit-il. Je me trouvais chez Darren, assis près de la fenêtre. J'ai entendu un léger bruit, mais avant de voir quoi que ce soit, j'ai perdu connaissance.

Je me sentis bizarrement déplacé au milieu de mes camarades, ce jour-là. Je n'arrêtais pas de penser : « Je ne devrais pas être ici. Je ne suis plus un garçon comme les autres. Je devrais être en train de gagner ma vie au service de M. Krapula. À quoi riment désormais les cours de littérature, d'histoire ou de géographie ? Tout ça ne m'intéresse plus. »

Tommy et Alan parlèrent à Steve de mes exploits sur le terrain de football.

– Il court plus vite que l'éclair, ces jours-ci, déclara Alan.

– Vraiment ? fit Steve en me regardant d'un drôle d'air. Et qu'est-ce qui a provoqué ce grand changement, Darren ?

– Il n'y a pas de changement, Steve. Je suis en forme, c'est tout. J'ai de la chance.

– Écoutez M. le Modeste ! s'écria Tommy en riant. M. Dalton a dit qu'il envisageait de le faire intégrer dans l'équipe des terminales ! Vous imaginez l'un de nous jouant avec des mecs de dix-sept ans ?

– M. Dalton voulait plaisanter, c'est du baratin ! dis-je en m'efforçant de paraître insouciant.

– Peut-être, murmura Steve. *Peut-être.*

Je jouai mal à l'heure du déjeuner, exprès. Je voyais que Steve était soupçonneux, qu'il devinait en moi quelque chose de différent. Je traînai plus ou moins et laissai passer plusieurs occasions de marquer des buts que j'aurais normalement marqués, même sans pouvoirs spéciaux.

Mon plan parut marcher. À la fin de la partie, il avait cessé de surveiller mes moindres mouvements et recommençait à plaisanter avec moi. Mais il se passa alors quelque chose qui ficha tout en l'air.

Alan et moi, dans la même équipe, courions après le ballon. Alan aurait dû me l'abandonner, j'étais le plus proche. Mais Alan, qui est le benjamin de notre bande, agit parfois bêtement. Je faillis m'écarter et le laisser faire, mais j'en avais assez de prétendre mal jouer. La pause déjeuner était presque finie, j'avais envie de marquer au moins un but. Aussi me dis-je : « Au diable Alan Morris ! C'est mon ballon, et il est en travers de mon chemin ! Tant pis pour lui ! »

Nous nous heurtâmes juste avant de toucher le ballon. Alan poussa un cri et s'envola littéralement dans les airs. Je me mis à rire, retins le ballon du bout du pied et m'apprêtai à shooter vers les buts.

La vue du sang m'arrêta net.

Alan s'était blessé au genou en s'étalant durement par terre. Il pleurait déjà. La blessure saignait abondamment.

Quelqu'un me subtilisa la balle d'un coup de pied et poursuivit la partie. Je n'en tins aucun compte. Mes yeux restaient fixés sur Alan, plus précisément sur le genou d'Alan. Plus précisément encore, sur le *sang* d'Alan.

Je fis un pas vers lui. Puis un autre. Il leva les yeux et dut voir quelque chose d'étrange sur mon visage, car il cessa de pleurer et parut mal à l'aise.

Je tombai à genoux ; avant même de savoir ce que je faisais, je posai mes lèvres sur sa blessure et je suçai son sang, que je bus avidement !

Cela dura quelques secondes. J'avais les yeux fermés, et le sang remplissait ma bouche. C'était délicieux. Je ne sais pas quelle quantité j'aurais dû boire pour mettre la vie de mon camarade en danger. Fort heureusement, je n'eus pas l'occasion de le découvrir.

J'eus soudain conscience de la présence de gens autour de moi et rouvris les yeux. Les autres élèves avaient cessé de jouer et me regardaient avec horreur. Je détachai ma bouche de la blessure d'Alan, me demandant comment j'allais expliquer ça.

Puis la solution me frappa. Je me levai d'un bond, écartai les bras.

– Je suis un vampire ! m'écriai-je d'une voix sépulcrale. Je suis le roi des morts vivants ! Je sucerai votre sang à tous !

Leur expression choquée se dissipa, ils se mirent à rire, pensant que c'était une bonne plaisanterie !

– Tu es cinglé, Shan, dit quelqu'un.

– C'est dégoûtant, s'écria une fille en voyant le sang dégouliner sur mon menton. On devrait t'enfermer !

La cloche sonna, annonçant qu'il était temps de retourner en classe. Je me sentis à la fois soulagé et content de moi, content d'avoir roulé mon monde. C'est alors que je vis Steve, et ma joie s'évanouit. Son visage me disait clairement qu'il n'avait pas été dupe de mon manège.

Il savait.

28

J'évitai Steve ce soir-là, et rentrai tout de suite à la maison après l'école. J'étais troublé. Qu'avais-je fait à Alan ? Je ne tenais pourtant pas à sucer le sang de qui que ce soit. Je ne cherchais pas une proie. Alors, pourquoi m'être comporté comme une bête sauvage ? Et si ça se reproduisait ? Et si, la prochaine fois, il n'y avait personne dans les parages pour m'arrêter, et que je continuais à boire jusqu'à ce que...

Non, c'était une idée folle. La vue du sang m'avait saisi par surprise, voilà tout. Je tirerais la leçon de cette expérience, et je saurais me contrôler désormais.

J'avais encore le goût du sang dans la bouche. Je courus m'enfermer dans la salle de bains pour me gargariser et me brosser énergiquement les dents.

Je m'étudiai dans le miroir. Mon visage n'avait pas changé. Mes dents n'étaient ni plus longues ni plus pointues. Mes yeux et mes oreilles restaient les mêmes. J'avais le même corps. La seule différence visible concernait mes ongles, devenus plus sombres et étrangement durs.

Du bout d'un ongle je traçai un trait sur le miroir. Cela laissa une profonde éraflure. « Avec des ongles pareils, je risque de blesser quelqu'un sans le vouloir, me dis-je. Dorénavant, je ferai attention. »

En fait, plus j'y réfléchissais, plus je m'habituais à l'idée de mon nouveau « moi ». D'accord, il me faudrait du temps pour devenir adulte, et je devrais également me maîtriser à la vue du sang. Mais la vie semblait pleine de promesses. J'étais plus fort que n'importe quel garçon de mon âge, plus rapide, en meilleure condition physique. Je pourrais devenir un athlète, un boxeur, un footballeur...

Imaginez : un vampire footballeur ! Je gagnerais des millions. Je serais interviewé à la télé, les gens écriraient des livres sur moi, on ferait un film sur ma vie, et on me demanderait peut-être d'enregistrer une chanson avec un fameux groupe de rock. Peut-être trouverais-je un emploi au cinéma comme jeune cascadeur. Ou encore...

Mes divagations furent interrompues par des coups frappés à la porte.

— Qui est-ce ? criai-je.

— C'est Annie ! Tu en as pour longtemps ? Ça fait un siècle que j'attends pour prendre un bain.

J'ouvris et la fis entrer.

— Tu t'admirais encore dans la glace ? me demanda-t-elle.

— Bien sûr, répondis-je en souriant. Tu sais bien que je me trouve irrésistible.

– Si j'avais ta tête, j'éviterais ce genre de plaisanterie, gloussa-t-elle.

Elle avait une serviette nouée autour des reins. Elle ouvrit en grand les robinets de la baignoire et passa la main sous le puissant jet d'eau pour vérifier que celle-ci n'était pas trop chaude. Puis elle s'assit sur le rebord de la baignoire et m'examina.

– Tu as l'air bizarre, déclara-t-elle.

– Pas du tout, protestai-je.

Je me regardai dans le miroir et ajoutai :

– Tu crois ?

– Ouais. Je ne sais pas ce que c'est, mais il y a quelque chose de différent chez toi.

– Tu imagines des choses, Annie. Je suis comme j'ai toujours été, je t'assure.

– Non, fit-elle en secouant la tête. Tu es définitivement...

La baignoire étant pleine, elle s'interrompit et se détourna pour fermer les robinets. Tandis qu'elle se penchait, mes yeux se posèrent sur la courbe de son cou, et ma bouche devint subitement sèche.

– Comme je te le disais, tu as l'air... commença-t-elle en reportant son attention sur moi.

Elle s'arrêta net en voyant mes yeux.

– Darren ? balbutia-t-elle nerveusement. Darren, qu'est-ce...

Je levai la main et elle se tut. Ses yeux se rivèrent sur mes doigts. Je balançai lentement ceux-ci de gauche à droite, puis leur fis décrire des petits cercles. Sans trop savoir ce que je faisais, j'étais en train de l'hypnotiser !

– Approche, ordonnai-je d'une voix basse et rauque qui n'était pas la mienne.

Annie se leva et obéit. Elle marchait comme une somnambule, le regard fixe, bras et jambes raides. Quand elle s'arrêta devant moi, je parcourus du bout des doigts la ligne de son cou. Je respirais bruyamment et je la voyais comme à travers une brume. Je me pourléchais les lèvres, mon ventre gargouillait. La salle de bains était chaude comme une fournaise, des gouttes de sueur perlaient sur le front d'Annie.

Je vins me placer derrière elle sans rompre le contact de mes doigts sur sa peau. Je sentais battre ses veines, et quand je pressai l'une d'elles, à la base de son cou, je la vis enfler, tendre et bleue, m'implorant de la déchirer d'un coup de dent et de boire tout son sang.

J'ouvris la bouche, découvrant mes dents, et me penchai sur ce cou palpitant. Au dernier instant, alors que mes lèvres effleuraient sa peau, j'aperçus mon reflet dans le miroir. Dieu merci, cela suffit à m'immobiliser.

J'eus du mal à reconnaître ce visage dans la glace, ce visage déformé avec ses yeux rougis, les sillons profonds de sa peau, son horrible rictus. Je levai la tête, étonné. C'était moi, et en même temps ça ne l'était pas ; j'avais l'impression d'être deux personnes dans un même corps, un jeune garçon normal et un prédateur nocturne.

Tandis que je l'observais, l'affreux visage s'estompa et le désir violent de boire du sang passa. Je me tournai vers Annie, horrifié. J'avais failli la *mordre* ! J'aurais bu le sang de ma propre sœur !

Je reculai en poussant un cri et couvris mon visage de mes mains. Annie tituba et regarda autour d'elle, comme hébétée.

— Que se passe-t-il? demanda-t-elle. Je me sens toute drôle. N'allais-je pas prendre un bain? Il est prêt?

— Oui, dis-je doucement. Il est prêt. Je vais te laisser.

Je sortis en refermant la porte derrière moi. Une fois dans le couloir, je m'adossai au mur, et il me fallut deux bonnes minutes pour reprendre mes esprits.

C'était une chose incontrôlable, cette soif de sang, une chose que je ne parviendrais jamais à vaincre tout à fait, je le savais. Voilà que je n'avais même plus besoin de voir le sang couler pour en avoir envie! Il m'avait suffi d'y penser pour que le monstre en moi remonte à la surface.

Je me précipitai dans ma chambre et me jetai sur mon lit. La tête enfouie sous l'oreiller, je me mis à pleurer, parce que mon existence d'humain touchait à son terme. Impossible de continuer à vivre sous les traits de l'ordinaire Darren Shan. Tôt ou tard, le vampire en moi me pousserait à accomplir quelque chose de terrible, et je finirais par tuer Maman ou Papa ou Annie.

Je ne pouvais pas laisser ça se produire. Je ne le *voulais* pas. Même si ma vie n'avait plus d'importance à mes yeux, celle de mes proches et de mes amis comptait toujours. Pour eux, pour leur salut, je devais partir très loin – là où je ne pourrais pas leur faire de mal.

J'attendis que tout le monde soit couché pour sortir de la maison. Je marchais à grands pas et fus vite devant le théâtre. Il ne me semblait plus inquiétant. Il m'était devenu familier. D'ailleurs, les vampires n'ont rien à craindre des bâtiments lugubres et délabrés, même dans le noir.

M. Krapula m'attendait derrière la porte d'entrée.

– Je t'ai entendu venir, me dit-il. Tu es resté dans le monde des humains plus longtemps que je ne le pensais.

– J'ai bu le sang d'un de mes meilleurs amis! avouai-je tout à trac. Et j'ai failli mordre ma petite sœur!

– Tu t'en tires à bon compte. La plupart des vampires tuent quelqu'un qui leur est proche avant de comprendre qu'ils sont condamnés.

– On ne peut donc pas retourner en arrière? murmurai-je tristement. Il n'existe pas de potion magique pour me faire redevenir humain ou m'empêcher d'attaquer les gens?

– La seule chose qui pourrait t'arrêter maintenant, c'est ce bon vieux pieu en plein cœur! répondit-il.

– Très bien, soupirai-je. Je n'aime pas ça, mais je suppose que je n'ai pas le choix. Je suis à vous. Je ne me sauverai plus. Faites de moi ce que vous voudrez.

M. Krapula hocha lentement la tête.

– Tu ne me croiras peut-être pas, mais je sais ce que tu ressens, et je suis navré pour toi. Enfin, peu importe.

Il me prit par la main et ajouta :

– Viens, Darren Shan. Nous avons des tas de choses à faire pour que tu puisses assumer le rôle de mon assistant.

– Lesquelles? demandai-je, intrigué.

– En premier lieu, dit-il avec un petit sourire, nous devons te *tuer*!

29

Je passai mon dernier week-end à adresser des adieux muets à mes lieux favoris : la bibliothèque, la piscine, le cinéma, le parc, le stade de foot... Souvent, Alan Morris et Tommy Jones étaient avec moi. J'aurais bien aimé revoir Steve, mais je ne pouvais me résoudre à l'affronter.

De temps à autre, j'avais le sentiment que quelqu'un me suivait, et mes cheveux se hérissaient sur ma nuque. Mais chaque fois que je me retournais, il n'y avait personne. Je finis par attribuer ça à mes nerfs, et n'y pensai plus.

Chaque minute vécue en compagnie de mes amis et de ma famille m'était précieuse. Je portai beaucoup d'attention aux visages et aux voix, afin de ne jamais les oublier. Je savais que je ne reverrais jamais ces gens-là, et cela me déchirait intérieurement, mais il fallait qu'il en soit ainsi. Je ne pouvais pas revenir en arrière.

Rien de ce qu'ils faisaient ne me parut critiquable. Ni les baisers de Maman ni les ordres de Papa ne me gênèrent. Les plaisanteries stupides d'Alan ne m'irritèrent pas.

Je passai plus de temps avec Annie qu'avec n'importe qui d'autre. C'était elle qui me manquerait le plus. Je lui fis cadeau de mes bandes dessinées, et l'emmenai au stade voir un match de foot avec Tommy. Je jouai même avec ses poupées !

Par moments, j'avais envie de pleurer. Je regardais Maman ou Papa ou Annie, et je découvrais à quel point je les aimais, à quel point ma vie allait être vide sans eux. Dans ces cas-là, j'étais obligé de me détourner et de respirer à fond. Une ou deux fois, ça ne marcha pas, et je dus sortir de la pièce pour pleurer.

Je suppose qu'ils devinèrent que quelque chose n'allait pas. Maman entra dans ma chambre le samedi soir et s'y attarda plus que de coutume. Elle me borda dans mon lit, me raconta des histoires, me fit parler. Il y avait des années que nous n'avions pas bavardé comme ça. Je fus désolé, quand elle me quitta, de ne pas avoir partagé plus souvent de pareils instants avec elle.

Dans la matinée, Papa me demanda à brûle-pourpoint s'il y avait des choses dont je voulais discuter avec lui. Il déclara que j'étais en train de pousser, que j'allais subir des tas de changements, et qu'il me comprendrait parfaitement si j'avais parfois des sautes d'humeur et des envies de rester seul. Mais il voulait que je sache qu'il serait toujours là, au cas où j'aurais besoin de me confier à quelqu'un.

« *Tu* seras là, mais pas *moi* ! » avais-je envie de crier. Au lieu de quoi je me tus, hochai la tête et le remerciai.

Je me conduisis aussi parfaitement que possible. Je voulais leur laisser une excellente image – celle d'un bon fils, un bon frère, un bon ami. Je ne tenais pas à ce qu'on pense du mal de moi quand je ne serais plus là.

Papa proposa de nous emmener au restaurant le dimanche soir, mais j'insistai pour que nous mangions plutôt à la maison. Ce serait mon dernier repas en famille ; quand j'y repenserais plus tard, je nous reverrais tous ensemble, et heureux.

Maman nous prépara mon plat favori : fricassée de poulet et pommes de terre rôties. Elle et Papa partagèrent une bouteille de vin, Annie et moi pressâmes des oranges pour en boire le jus frais. Il y avait de la tarte aux fraises comme dessert. Tout le monde était en forme. On chanta en chœur. Papa raconta des histoires drôles. Maman exécuta un petit air à l'aide de deux cuillères. Annie récita quelques poèmes. Nous jouâmes tous aux charades.

J'aurais voulu que cette journée ne finisse jamais. Mais, bien sûr, le soleil se coucha comme toujours, et la nuit descendit sur la ville.

Papa regarda sa montre.

– Il serait temps d'aller au lit, observa-t-il. Vous deux, vous avez école, demain.

« Non, pensai-je. Pas moi. Je n'irai plus jamais à l'école. » Cette pensée aurait dû me réjouir – mais j'en eus aussitôt une autre. Plus d'école signifiait plus de M. Dalton, plus de copains, plus de parties de foot, plus d'excursions scolaires.

Je repoussai le rituel du coucher autant que je le pus. Je mis des heures à enlever mes vêtements et à enfiler mon pyjama ; je pris encore plus de temps pour me laver les mains, le visage et les dents. Puis je descendis dans le salon, où Maman et Papa bavardaient. Ils levèrent les yeux, surpris de me voir.

– Tout va bien, Darren ? demanda Maman.

– Oui, Maman, ça va.

– Tu n'es pas malade ?

– Non, je n'ai rien, la rassurai-je. Je voulais juste vous dire bonsoir.

Je mis les bras autour du cou de Papa et l'embrassai sur la joue. Puis je fis de même pour Maman.

– Bonne nuit, dis-je à chacun.

– Ça, c'est à marquer d'une pierre blanche ! s'étonna Papa. Depuis combien de temps ne nous a-t-il pas embrassés comme ça pour nous dire bonsoir, Angie ?

– Trop longtemps, opina Maman en me caressant la tête.

– Je sais que je ne vous le dis pas souvent, mais je vous aime, tous les deux, murmurai-je. Et je vous aimerai toujours.

– On t'aime aussi, déclara Maman. Pas vrai, Dermot ?

– Bien sûr, acquiesça Papa.

– Alors, dis-le-lui ! insista Maman.

Papa soupira.

– Je t'aime, Darren, dit-il en roulant des yeux d'une façon qui me fait toujours rire.

Puis il me serra contre lui.

Je les laissai alors, mais une fois dehors, je ne pus m'empêcher de les écouter un instant derrière la porte.

– Qu'est-ce qui a provoqué ça, à ton avis? demanda Maman.

– Les mômes! gloussa Papa. Qui sait comment fonctionne leur esprit!

– Il a quelque chose, Dermot. Ça fait quelque temps déjà qu'il se comporte bizarrement.

– Il a peut-être une petite amie, suggéra Papa.

– Peut-être, fit Maman.

Mais elle n'avait pas l'air convaincue.

Je m'étais attardé suffisamment longtemps. J'avais peur, si je restais davantage, de me ruer dans la pièce et de tout leur raconter.

Je montai dans ma chambre d'un pas traînant. La nuit était tiède, j'avais laissé la fenêtre ouverte – détail important.

M. Krapula m'attendait dans la penderie. Il en sortit en m'entendant refermer la porte.

– On étouffe, là-dedans, maugréa-t-il. Je plains Madame Octa d'avoir séjourné si longtemps dans ce...

– Oh, bouclez-la! interrompis-je.

– Pas la peine d'être grossier, jeune homme! Je faisais un simple commentaire, c'est tout.

– Eh bien, ne le faites pas. Je dois dire adieu à ma chambre, et je ne suis pas d'humeur à supporter vos critiques.

– Désolé!

Je regardai une dernière fois autour de moi, et poussai un soupir. Puis je sortis un sac de dessous le lit et le remis à M. Krapula.

– Qu'est-ce que c'est? interrogea-t-il, soupçonneux.

– Quelques affaires personnelles. Mon journal. Une photo de ma famille. Deux ou trois bricoles dont on ne remarquera pas la disparition. Vous pouvez garder ça pour moi?

– Entendu.

– Vous devez me promettre de ne pas fouiller dans le sac!

– Les vampires n'ont pas de secrets entre eux, objecta M. Krapula.

Mais quand il remarqua mon expression, il pinça les lèvres et haussa les épaules.

– C'est bon, je ne l'ouvrirai pas.

– Parfait, dis-je.

Je respirai un bon coup et ajoutai :

– Vous avez la potion?

Il hocha la tête, et me tendit un petit flacon rempli d'un liquide sombre. Je le débouchai. Le liquide dégageait une odeur fétide. M. Krapula s'approcha, posa ses mains sur ma nuque.

– Vous êtes sûr que ça va marcher? demandai-je nerveusement.

– Fais-moi confiance.

– J'ai toujours cru que quand on avait le cou brisé, on ne pouvait plus bouger.

– Non. La paralysie ne se produit que lorsque le cordon de la moelle épinière se rompt. Je veillerai à ne pas l'endommager.

– Les médecins ne se douteront de rien ? repris-je.

– Ils ne vérifieront pas. La potion va ralentir tes fonctions cardiaques au point qu'ils te croiront mort. Ils découvriront que tu as le cou brisé, et en tireront de fausses conclusions. Si tu étais plus âgé, ils pratiqueraient peut-être une autopsie. Mais les médecins n'aiment pas beaucoup découper les enfants en morceaux... Et toi, tu as bien compris ce qui va se passer, et comment tu dois te comporter ?

J'acquiesçai d'un hochement de tête.

– Il ne faut pas commettre la moindre erreur. Autrement, tout notre plan est fichu en l'air.

– Je ne suis pas idiot ! ripostai-je. Je sais ce que je dois faire !

– Alors, fais-le, dit-il.

Et je le fis.

D'un geste vif, j'avalai le contenu du flacon. Le goût me fit grimacer, puis je frissonnai, et mon corps commença à se raidir. Je ne ressentis aucune douleur, mais un froid glacial me transperça jusqu'aux os. Je claquais des dents.

Il fallut environ dix minutes pour que le poison accomplisse son sortilège mortel. Au bout de ce temps, je ne pouvais pas bouger les membres, mes poumons ne respiraient plus (en fait, ils le faisaient très, très lentement) et mon cœur avait cessé de battre (là encore, pas tout à fait, mais suffisamment pour que les battements soient indétectables).

– Je vais te briser le cou, maintenant, annonça M. Krapula.

Et j'entendis un craquement de bois sec au moment où il ramena brusquement ma tête sur le côté. Je ne souffris pas le moins du monde ; mes sens étaient comme anesthésiés.

– Voilà, conclut-il. Ça devrait faire l'affaire. Maintenant, je vais te jeter par la fenêtre.

Il me transporta devant la fenêtre et y resta un moment avec moi, respirant la fraîche brise nocturne.

– Il faut que je te balance brutalement, pour que ça ait l'air vrai, expliqua-t-il. En tombant, tu te briseras peut-être quelques os. Ils commenceront à te faire mal d'ici deux ou trois jours, quand l'effet du poison se dissipera. Mais je m'en occuperai à ce moment-là. On y va !

Il me souleva et me jeta par la fenêtre.

La chute fut rapide comme l'éclair, le ciel étoilé bascula, la maison aussi, j'atterris lourdement sur le dos. J'avais les yeux ouverts, fixés sur un tuyau courant le long du mur.

Mon corps n'attira pas l'attention avant un certain temps, aussi restai-je là, à écouter les bruits de la nuit. À la fin, un voisin qui passait dans les parages me repéra et s'approcha. Il poussa une exclamation horrifiée en me découvrant.

Il fit le tour de la maison à toute allure et assena des coups de poing sur la porte d'entrée. Je l'entendis appeler mes parents à grands cris. Leurs voix me parvinrent, ainsi que le bruit de leurs pas, tandis que le voisin les emmenait vers moi.

Pendant un long et terrible moment, le silence fut total. Puis Papa et Maman se jetèrent sur moi et me soulevèrent.

– Darren ! hurla Maman en me serrant contre sa poitrine

— Lâche-le, Angie ! cria Papa.

Il me libéra et me rallongea doucement sur l'herbe.

— Qu'est-ce qui a pu se passer, Dermot ? gémit Maman.

— Je ne sais pas. Il a dû tomber.

Papa leva la tête vers la fenêtre de ma chambre. Il serrait les poings.

— Il ne bouge pas, observa Maman.

Elle m'agrippa de nouveau, se mit à me secouer.

— Il ne bouge pas ! hurla-t-elle. Il ne bouge pas ! Il ne b...

Papa m'arracha à son étreinte. Il fit signe au voisin de s'occuper de Maman.

— Emmenez-la dans la maison, ordonna-t-il doucement. Appelez une ambulance. Je vais rester ici, à côté de lui.

— Il est... mort ? demanda le voisin.

Maman gémit sourdement en entendant cela, et enfouit son visage dans ses mains.

— Non, répondit Papa d'un ton rassurant. Il est seulement paralysé, comme l'était son ami.

Elle leva la tête.

— Comme Steve ? balbutia-t-elle avec un soupçon d'espoir.

— Oui, déclara Papa en souriant. Et il s'en sortira, comme Steve. À présent, allez appeler à l'aide, d'accord ?

Maman se dépêcha de rentrer à la maison avec notre voisin. Papa garda le sourire aux lèvres jusqu'à ce qu'elle soit hors de vue ; puis il se pencha sur moi, examina la prunelle de mes yeux, saisit mon poignet, prit mon pouls. Comme il ne trouvait en moi aucun signe de vie, il me rallongea, déplaça une mèche de cheveux sur mon front, et fit une chose à laquelle je ne m'attendais pas.

Il éclata en sanglots.

Voilà comment j'en vins à aborder une nouvelle et misérable phase de ma destinée – à savoir *ma mort*.

30

Il ne fallut pas longtemps aux médecins pour établir leur diagnostic. Constatant que je ne respirais plus, ne bougeais plus et n'avais plus de pouls, ils jugèrent que ma mort était une affaire classée.

Le pire, c'est que je restais conscient de tout ce qui se passait autour de moi. Je regrettai de ne pas avoir demandé à M. Krapula un autre poison, qui m'aurait endormi. C'était terrible d'entendre Maman et Papa pleurer, Annie me crier de revenir.

Les amis de la famille se présentèrent à l'hôpital au bout de deux heures, et j'eus droit à un supplément de larmes et de gémissements.

J'aurais bien aimé éviter tout ça et m'enfuir avec M. Krapula au milieu de la nuit; mais il m'avait expliqué que c'était impossible :

— Si tu te sauves, sache qu'ils te feront rechercher. Il y aura des affiches partout, des photos de toi dans le journal, des appels dans tous les commissariats. Nous n'aurons plus une minute de paix.

Simuler ma mort était la seule issue. Cela m'assurait la liberté. Personne ne part à la recherche d'un mort.

Mais à présent, devant tant de chagrin, j'en voulais à M. Krapula et je me maudissais moi-même. J'avais agi en égoïste, sans penser à ménager les sentiments de mes proches.

Néanmoins, en regardant le bon côté des choses, ma prétendue mort était aussi le meilleur moyen d'en finir une fois pour toutes. Ils me pleureraient un certain temps, et petit à petit, m'oublieraient (je l'espérais). Alors que si je m'étais enfui, leur tristesse aurait pu durer éternellement ; ils auraient peut-être passé le restant de leurs jours à attendre mon retour, à l'espérer, à se convaincre que j'allais réapparaître.

L'entrepreneur des pompes funèbres arriva et fit sortir les visiteurs. Lui et son assistante (une infirmière) m'ôtèrent mes vêtements et examinèrent mon corps. Certains sens commençaient à me revenir, et je sentais leurs mains froides me tripoter la peau.

– Il est en excellente condition, chuchota l'entrepreneur. Ferme, frais, pas de marques. J'aurai peu de travail, avec celui-ci. Juste un peu de rose sur les joues pour lui donner des couleurs.

Il souleva mes paupières. C'était un petit homme dodu à l'air optimiste. J'avais peur qu'il ne décèle la vie dans mon regard, mais ce ne fut pas le cas. Il tourna doucement ma tête d'un côté et de l'autre, ce qui fit craquer les os brisés de ma nuque.

– L'homme est une créature si fragile, soupira-t-il tout en poursuivant son examen.

Ils me ramenèrent à la maison cette nuit-là, et me couchèrent dans le salon sur une longue table recouverte d'un linge blanc, afin que les gens puissent venir me faire leurs adieux.

Je trouvai bizarre d'entendre tout ce monde parler de moi comme si je n'étais pas là, répéter que j'avais été un si joli bébé, un petit garçon charmant, et que je serais certainement devenu un brave homme en vieillissant. Quel choc ils auraient reçu si je m'étais subitement redressé en criant : « Booo ! »

Le temps s'étira en longueur. Je ne saurais dire à quel point c'est pénible de rester étendu pendant des heures sans pouvoir bouger ou se gratter le bout du nez. Je ne pouvais même pas regarder le plafond, puisque j'avais les yeux fermés !

Je dus me contrôler au fur et à mesure que les sensations me revenaient. M. Krapula m'avait prévenu que des fourmillements et démangeaisons se feraient sentir bien avant que je ne sois parfaitement lucide.

Les démangeaisons me rendirent pratiquement fou. J'essayai de les ignorer, mais c'était impossible. J'avais l'impression que de minuscules araignées me grouillaient çà et là sur le corps. Elles s'en prenaient en particulier à ma nuque, là où les os s'étaient brisés.

Il se fit tard, les amis commencèrent enfin à prendre congé. Bientôt, la pièce fut totalement vide et silencieuse. Je restai enfin seul, appréciant ce calme soudain.

Et puis j'entendis quelque chose.

La porte s'ouvrait, très lentement.

Quelqu'un pénétra dans le salon sur la pointe des pieds, s'arrêta près de la table. Mes entrailles se glacèrent, et ce n'était pas à cause de la potion. Qui venait d'entrer? Pendant un moment, je crus avoir affaire à M. Krapula; mais il n'avait aucune raison de se faufiler dans la maison. Nous devions nous rencontrer ailleurs, et plus tard.

Je sentis des mains sur mon visage.

L'intrus souleva mes paupières et y projeta la vive lueur d'une minuscule lampe électrique. J'étais trop aveuglé pour l'identifier. Il grogna, me ferma les yeux, puis m'ouvrit la bouche et posa quelque chose sur ma langue : ça ressemblait à un morceau de papier très fin, au goût étrange, amer.

Après avoir retiré cette chose de ma bouche, il me saisit les mains et examina le bout de mes doigts. Puis j'entendis le déclic d'un appareil prenant des photos.

Finalement, il piqua divers endroits de mon corps avec un objet acéré – une aiguille, sans doute. Mes sens ne m'étant qu'en partie revenus, l'aiguille ne me fit guère souffrir.

Après ça, il quitta les lieux. J'entendis ses pas décroître à travers la pièce, toujours aussi légers, puis la porte se referma, et ce fut tout. Le mystérieux visiteur était parti, me laissant perplexe et un peu effrayé.

Tôt le lendemain matin, Papa vint s'asseoir près de moi. Il me parla longtemps, me confiant tous les projets qu'il avait faits pour moi. Il pleurait beaucoup.

Maman le rejoignit, et tous deux pleurèrent de plus belle dans les bras l'un de l'autre, tout en essayant de se consoler. Il leur restait Annie, disaient-ils. Et ils pourraient faire un autre enfant, ou en adopter un. Au moins, ma mort avait été rapide, je n'avais pas souffert...

Je me détestais de plus en plus.

La matinée se poursuivit dans une activité fébrile. On apporta un cercueil et on m'allongea à l'intérieur. Un prêtre arriva et s'assit avec les parents et les amis de la famille. Des gens n'arrêtaient pas d'entrer et de sortir.

Les sanglots déchirants d'Annie m'émurent beaucoup. Il aurait été plus facile de la tenir à l'écart, mais je suppose que les parents ne voulaient pas qu'elle grandisse avec le sentiment qu'on l'avait empêchée de dire adieu à son frère.

Finalement, on vissa en place le couvercle du cercueil, qu'on déposa dans un corbillard. Le cortège funèbre s'achemina vers l'église, où je n'entendis pas grand-chose de ce qui se disait. Puis, la messe étant terminée, je fus transporté au cimetière, où j'eus droit à un petit discours ému du prêtre, ponctué par les gémissements et les sanglots de l'assistance

Et après ça, on m'enterra.

31

Ils me descendirent dans un grand trou noir. Le cercueil s'immobilisa avec une secousse en touchant le fond, et je perçus l'averse légère de quelques poignées de fleurs jetées sur le couvercle.

Ensuite, les fossoyeurs comblèrent le trou à grosses pelletées de terre. Les premières tombèrent comme des briques. Le choc sourd de leur chute faisait trembler le cercueil. Puis, au fur et à mesure que la terre s'amoncelait entre moi et le monde à la surface, les sons devinrent plus étouffés, assourdis et lointains.

À la fin, de faibles tapotements m'indiquèrent qu'on tassait et égalisait la terre au-dessus de la tombe.

Et ce fut le silence complet.

J'étais étendu dans une obscurité paisible, à m'imaginer que des vers rampaient vers moi à travers la poussière. J'avais envisagé cette étape comme particulièrement effrayante, mais en fait, je me sentais très serein. J'étais en sécurité au fond de mon trou, protégé du monde.

Je me mis à penser aux moments cruciaux des quelques semaines qui venaient de s'écouler. « Si tu n'étais pas allé voir cette parade de monstres, tu ne serais pas là. Si tu n'avais pas traîné dans ce vieux théâtre pour savoir ce que manigançait Steve, tu ne serais pas là. Si tu n'avais pas volé Madame Octa, tu ne serais pas là... »

Beaucoup de « si » qui ne faisaient aucune différence. Je ne pouvais pas revenir en arrière. Il était temps de faire une croix sur mon passé et de me tourner vers le présent, vers l'avenir.

Au fil des heures, le mouvement me revint. D'abord dans mes mains, que l'entrepreneur avait croisées sur ma poitrine. Je les fis glisser le long de mon corps, serrai lentement les poings et bougeai les doigts pour calmer leur fourmillement.

Mes yeux s'ouvrirent ensuite, mais ça ne me servit pas à grand-chose. On n'y voyait goutte, là-dedans.

La douleur apparut par la même occasion. Mon dos me faisait mal, à l'endroit où il avait heurté le sol quand j'étais tombé de la fenêtre. Mes poumons et mon cœur, restés trop longtemps à l'état de veille, me faisaient mal aussi. J'avais des crampes dans les jambes, et le cou raide.

Ce fut en recommençant à respirer que je m'inquiétai soudain du peu d'air dans le cercueil. M. Krapula m'avait assuré que je pourrais survivre près d'une semaine dans mon état comateux. Je n'avais pas besoin de manger, de boire, d'aller aux toilettes. Mais maintenant que mon souffle était de retour, je me rendis compte que j'allais très vite épuiser ma réserve d'oxygène !

Je réussis à ne pas paniquer, résolus de respirer doucement, avec parcimonie, et de bouger le moins possible : le mouvement vous fait respirer davantage.

Je n'avais pas la moindre idée de l'heure. Je tentai de me livrer à des exercices de calcul mental pour me distraire, les nombres m'échappaient ; je chantonnai entre mes dents, m'inventai des histoires. Je regrettais de ne pas avoir été enterré avec une radio, mais les morts n'ont pas vraiment besoin de ce genre d'accessoire.

Finalement, après ce qui me sembla des siècles d'attente, je l'entendis creuser quelque part au-dessus de ma tête. Il devait creuser plus vite que n'importe quel humain, car il parvint à mon cercueil en un temps record, moins d'un quart d'heure. En ce qui me concernait, ce n'était pas trop tôt.

Il frappa trois coups sur le couvercle et entreprit de le dévisser. Deux minutes plus tard, il ouvrait le cercueil en grand – et je pus contempler le plus beau ciel nocturne qu'il m'ait été donné de voir.

Je me dressai sur mon séant, toussai, et avalai une bonne bouffée d'air. La nuit était sombre, mais après avoir passé des heures sous terre, elle me parut claire comme le jour.

– Ça va ? me demanda M. Krapula.

– Je suis mort de fatigue, répondis-je avec un faible sourire.

Ma plaisanterie le fit sourire aussi.

– Lève-toi que je t'examine, ordonna-t-il.

Je me levai en grimaçant; j'étais perclus de douleurs. Il fit courir ses doigts sur mon dos, mon cou, ma poitrine.

– Tu as eu de la chance, dit-il. Ton cou se remet déjà, tu n'as pas de fractures. Juste quelques contusions qui guériront très vite.

Il se hissa hors de la tombe, me tendit la main et m'aida à remonter. J'étais encore tout raide et j'avais mal partout.

– Il faudra quelques jours pour que les effets secondaires disparaissent, reprit-il. Mais ne t'inquiète pas. Tu es en bonne forme. On a de la chance qu'ils t'aient enterré tout de suite. S'ils avaient attendu un jour de plus, tu te sentirais bien plus mal.

Il sauta dans la tombe pour fermer le cercueil. Quand il en émergea à nouveau, il saisit sa pelle et commença à remettre la terre en place.

– Vous voulez que je vous aide? proposai-je.

– Non, tu ne ferais que me ralentir. Va plutôt te balader pour te dégourdir les membres. Je t'appellerai quand je serai prêt à repartir.

– Vous avez apporté mon sac?

Il hocha la tête et me le montra, posé sur une pierre tombale.

Je ramassai le sac et l'ouvris pour vérifier son contenu. Avait-il fouillé dans mes affaires et lu mon journal en dépit de sa promesse? Impossible de le dire, j'allais être obligé de lui faire confiance. De toute façon, c'était sans importance. Mon journal ne contenait rien qu'il ne connût déjà.

La parade des monstres

Je m'éloignai parmi les tombes, testant mes membres endoloris, heureux de pouvoir bouger bras et jambes. Toute sensation, même de crampe ou de fourmillement, valait mieux que pas de sensation du tout.

Mes yeux semblaient avoir encore gagné en acuité. J'étais capable de lire les noms et les dates sur les pierres tombales plongées dans l'obscurité à plusieurs mètres de distance. Sans doute le sang du vampire en moi... me dis-je.

Alors que je m'interrogeais sur mes nouveaux pouvoirs, un bras jaillit soudain de derrière une stèle, me fit basculer en arrière en m'enserrant brutalement le cou, et m'entraîna dans un bosquet, hors de la vue de M. Krapula !

Mon assaillant, quel qu'il fût, finit par me lâcher en me laissant tomber par terre, et vint se dresser au-dessus de moi. J'ouvris la bouche pour crier, mais ce que je vis me bloqua les mots dans la gorge : il avait un marteau dans une main, et dans l'autre, un grand pieu de bois qu'il pointait directement sur mon cœur !

32

– Si tu bouges d'un centimètre, menaça mon attaquant, je te transperce de part en part sans la moindre
hésitation!

Ces mots effrayants eurent moins d'effet sur moi
que la voix familière qui les prononçait.

– *Steve ?* m'exclamai-je.

C'était bien lui, essayant de prendre un air bra-
vache – mais n'en menant pas large, en réalité.

– Steve, qu'est-ce...

Il me fit taire d'un petit coup de pieu dans l'estomac.

– Pas un mot! souffla-t-il.

Il s'accroupit près de moi et ajouta :

– Je ne veux pas que ton *ami* entende.

– Mon ami? Oh, tu veux dire M. Krapula?

– Larten Krapula, Vur Horston, je me moque du
nom que tu lui donnes, ricana Steve. C'est un vampire. Voilà tout ce que j'ai besoin de savoir.

– Mais qu'est-ce que tu fais là ? chuchotai-je.

– La chasse aux vampires, pardi, grogna-t-il en me piquant de nouveau de la pointe de son pieu. Et regardez-moi ça : j'en ai trouvé deux !

– Écoute, dis-je, plus irrité qu'inquiet (s'il avait voulu me tuer, il l'aurait fait tout de suite, au lieu de perdre du temps à bavasser avec moi), si tu dois me planter ce pieu dans le corps, fais-le. Si tu veux parler, pose-le quelque part. J'ai déjà mal partout, inutile de me transformer en passoire.

Il me regarda, puis souleva le pieu de quelques centimètres.

– Qu'est-ce qui t'a donné l'idée de venir me chercher ici ? repris-je. Comment savais-tu ?

– Je t'avais suivi, dit-il. Je t'ai suivi tout le week-end après avoir vu ce que tu as fait à Alan. J'ai vu Krapula entrer dans ta maison. Je l'ai vu te balancer par la fenêtre.

– C'est toi qui t'es faufilé dans le salon après le départ de tout le monde ! m'écriai-je en me rappelant mon mystérieux visiteur.

Il acquiesça.

– Oui. Les docteurs ont signé ton certificat de décès un peu trop vite, à mon avis. J'ai voulu vérifier par moi-même, voir si tu fonctionnais toujours.

– Le morceau de papier dans ma bouche ? demandai-je.

– Du papier de tournesol, expliqua-t-il. Il change de couleur au contact d'une surface humide. Il m'a montré que tu salivais, donc que tu étais vivant. Ça, et les marques au bout de tes doigts m'ont tout révélé.

– Tu étais au courant, pour les marques au bout des doigts ? m'étonnai-je.

– J'ai lu ça dans un vieux grimoire. Celui où j'avais trouvé le portrait de Vur Horston, en fait. On ne donnait ce détail nulle part ailleurs, et j'ai d'abord pensé que c'était encore un mythe vampirique. Mais en examinant tes doigts, j'ai...

Il s'interrompit, pencha la tête de côté. Je me rendis compte qu'on n'entendait plus de coups de pelle. Pendant un moment, le silence fut total. Puis la voix de M. Krapula s'éleva dans le cimetière.

– Darren, où es-tu passé ? Darren ?

La peur altéra fortement les traits de Steve. J'entendis son cœur battre, et je vis les gouttes de transpiration couler sur ses joues. Il ne savait plus que faire. Il avait agi sur une impulsion, sans trop réfléchir.

– Je suis ici ! criai-je, ce qui le fit sursauter.

– Où ça ?

Je me relevai, écartant le pieu.

– Ici ! répétai-je. J'avais mal aux jambes, je me suis étendu au pied d'un arbre une minute !

– Ça va mieux ?

– Oui ! Je vais me reposer encore un peu ! Appelez-moi quand vous aurez fini !

Je m'agenouillai dans l'herbe pour faire face à Steve. Il n'avait plus du tout l'air brave. Ses épaules s'affaissaient misérablement, le pieu inutile gisait à ses pieds. J'eus de la peine pour lui.

– Pourquoi es-tu venu, Steve ? demandai-je.

– Pour te tuer.

– Pour me tuer ? Pourquoi, pour l'amour du Ciel ?

– Tu es un vampire, dit-il. Quelle autre raison me faut-il ?

– Mais tu n'as rien contre les vampires ! Tu voulais même en devenir un !

– Oui ! ricana-t-il. Je voulais en devenir un, mais c'est *toi* qui t'es transformé ! Tu avais mijoté ton coup depuis le début, pas vrai ? C'est toi qui lui as suggéré que j'étais mauvais. Tu t'es arrangé pour qu'il me rejette et...

– Ne dis pas de bêtises, soupirai-je. Je n'ai jamais voulu être un vampire. J'ai accepté de me joindre à lui uniquement pour te sauver la vie. Si je n'étais pas devenu son assistant, tu serais mort.

– Tu parles ! rétorqua-t-il. Quand je pense que je te croyais mon ami ! Ha !

– Je suis ton ami, Steve ! Tu ne comprends pas ? Je ne pourrais jamais te faire de mal. Je déteste ce qui m'est arrivé. Je ne l'ai fait que pour...

– Oh, épargne-moi le mélo, grogna-t-il. Quand as-tu planifié tout ça ? Tu as dû aller le trouver la nuit de la parade des monstres. C'est comme ça que tu as eu Madame Octa, n'est-ce pas ? Il te l'a donnée en récompense, parce que tu voulais devenir son assistant.

– Non, Steve, c'est faux. Tu ne peux pas croire une chose pareille !

Mais il en était convaincu. Je le voyais dans ses yeux. Rien de ce que je pourrais dire ne le ferait changer d'avis. Pour lui, j'étais un traître. Je lui avais volé le rôle qu'il rêvait de jouer, le rôle de sa vie. Il ne me le pardonnerait jamais.

Il se leva et recula.

– Je vais m'en aller, maintenant, dit-il. Je croyais que je pourrais te tuer cette nuit, mais je me trompais. Je suis trop jeune. Je n'ai pas encore assez de force et de courage... Mais n'oublie pas ça, Darren Shan : je grandirai ! Oui, j'apprendrai à être plus fort, plus brave. Je consacrerai tout mon temps à développer mon corps et mon esprit, et quand le jour viendra... quand je serai prêt... *Je te retrouverai et je te tuerai !*... Je vais devenir le plus redoutable des chasseurs de vampires, et tu ne trouveras pas un seul trou pour te cacher... Je suivrai ta trace jusqu'au bout du monde si je le dois ! poursuivit-il, les traits déformés par une expression proche de la démence. Toi et ton mentor ! Et quand je vous retrouverai, j'enfoncerai un pieu à pointe d'acier dans votre cœur, je couperai vos têtes et les farcirai d'ail ! Et après, je vous brûlerai et je répandrai vos cendres sur l'eau d'un fleuve. Je ne laisserai rien au hasard ! Je ferai en sorte que vous ne puissiez jamais revenir, jamais !

Il s'arrêta, sortit un canif de sa poche et entailla légèrement la paume de sa main gauche. Puis il me la montra pour que je puisse voir le sang couler de sa blessure.

– Sur ce sang, je le jure ! déclara-t-il.

Il tourna les talons, s'éloigna en courant et s'évanouit dans les ténèbres.

Je pouvais courir derrière lui, suivre sa trace à l'odeur de son sang. Je pouvais appeler M. Krapula à la rescousse. Nous l'aurions pourchassé, rattrapé en un clin d'œil – et mis un terme définitif à la vie de Steve Léonard et à ses menaces. C'eût été la meilleure chose à faire.

Mais je ne le fis pas. Je ne le pouvais pas. C'était mon ami...

33

Quand je rejoignis M. Krapula, il était en train de lisser la terre sur ma tombe. Je le regardai travailler. La pelle était large et lourde, mais il la maniait comme si elle avait la légèreté du papier. J'enviai son habileté, et me demandai si je serais aussi fort que lui un jour.

J'envisageai de lui parler de Steve, mais craignis qu'il ne veuille le rattraper. Steve avait assez souffert. D'ailleurs, sa menace me paraissait vaine. Dans quelques semaines, il nous aurait oubliés, moi et M. Krapula, et centrerait son intérêt sur autre chose.

En tout cas, je l'espérais.

M. Krapula leva les yeux sur moi.

– Tu es sûr que ça va ? dit-il. Tu as l'air très tendu.

– Vous le seriez aussi si vous aviez passé la journée dans un cercueil, répliquai-je.

Il éclata de rire.

– Maître Shan, j'ai passé plus de temps dans des cercueils que bien des morts !

Il assena un dernier coup de pelle sur la tombe, puis brisa la pelle en petits morceaux qu'il rejeta au loin.

– La sensation de raideur diminue? s'enquit-il.

– Oui, un peu, répondis-je en agitant les bras. Mais je n'aimerais pas simuler ma mort trop souvent.

– Non, bien sûr... Espérons que ce ne sera plus nécessaire, car c'est un exercice dangereux. Beaucoup de choses peuvent mal tourner.

Je le regardai.

– Vous disiez que c'était absolument sans danger!

– Je mentais. Parfois, la potion produit un tel effet que le sujet ne s'en remet jamais. Et je n'étais pas sûr qu'on ne pratiquerait pas une autopsie... Mais tu veux vraiment entendre tout ça?

– Non, fis-je, au bord de la nausée.

Et je lui balançai mon poing dans la figure. Il l'évita facilement, en riant.

– Vous m'avez menti! criai-je.

– J'étais obligé. Il n'y avait pas d'autre moyen.

– Et si j'étais mort?

Il haussa les épaules.

– J'aurais perdu un assistant. Pas de quoi fouetter un chat. Je suis sûr que j'en aurais trouvé un autre.

– Vous... Vous... Oh!

Je donnai un coup de pied dans une tombe, furieux. J'aurais pu le traiter de tous les noms, mais ne voulais pas prononcer de mots grossiers en présence des morts. Je lui dirais plus tard ce que je pensais de sa traîtrise.

– Tu es prêt à partir? demanda-t-il.

– Juste une minute.

Je bondis sur une haute pierre tombale et regardai la ville au loin. Je ne voyais pas grand-chose de là où nous étions, à cause de l'obscurité qui noyait le décor, mais ce serait le dernier aperçu que j'aurais de l'endroit où j'étais né, où j'avais vécu mon enfance. Et je pris tout mon temps pour contempler les rues sombres, les immeubles, les bungalows.

– Tu t'habitueras à ces départs au bout d'un certain temps, murmura M. Krapula.

Il se tenait derrière moi sur la tombe, comme suspendu en l'air me semblait-il. Son expression était lugubre.

– Les vampires passent leur temps à dire adieu, ajouta-t-il. Ils ne s'arrêtent jamais longtemps au même endroit. On doit toujours rassembler nos affaires pour aller vers de nouveaux pâturages... C'est notre lot.

– Et la première fois est la plus pénible, je suppose ?

Il hocha la tête.

– Oui. Mais ça n'est jamais très facile.

– Combien de temps avant que je m'habitue ? Je veux savoir.

– Peut-être quelques dizaines d'années. Peut-être plus longtemps.

Des dizaines d'années.

– On ne peut pas se faire des amis ? poursuivis-je. On ne peut vraiment pas avoir un foyer, une épouse, une famille ?

– Non, soupira-t-il. Jamais.

– On ne se sent pas trop seul?

– Terriblement.

Au moins, il était franc. Comme je l'ai déjà dit, je préfère la vérité – aussi déplaisante soit-elle – au mensonge. Avec la vérité, on sait où l'on est.

– C'est bon, dis-je en sautant à terre. Je suis prêt.

Je pris mon sac, époussetai mes vêtements.

– Tu peux monter à califourchon sur mon dos, si tu veux, me proposa M. Krapula.

– Non merci, déclinai-je poliment. Peut-être plus tard. Pour le moment, j'ai encore envie de me dégourdir les jambes.

– Comme tu voudras.

Je me frottai l'estomac, et l'écoutai gargouiller.

– Je n'ai rien mangé depuis dimanche, dis-je. J'ai faim.

– Moi aussi, me confia-t-il.

Il me tendit la main et ajouta :

– Allons donc manger.

J'acquiesçai nerveusement d'un hochement de tête et je pris sa main. Je préférais ne pas penser à ce qui risquait de figurer au menu.

Côte à côte, le vampire et son assistant s'éloignèrent parmi les tombes puis s'enfoncèrent dans la nuit...

À SUIVRE...

La saga de

DARREN SHAN

1 - La parade des monstres
2 - L'assistant du vampire
3 - Les égouts du diable
(À paraître en mars 2002)

Si vous avez aimé

La parade des monstres

**Écrivez-nous pour nous faire partager
votre enthousiasme
Pocket-Jeunesse, 12 avenue d'Italie, 75013 Paris**

*Imprimé par la Société Nouvelle Firmin-Didot
Mesnil-sur-l'Estrée
pour le compte des Éditions Pocket Jeunesse*

Dépôt légal : novembre 2001
N° d'impression : 56349